東アジアが変える未来

Voice編集部 編
VOICE editorial department

PHP新書

はじめに

新型コロナウイルスの感染拡大に対して、その初期段階において抑え込みに成功したとされた少ない例が、中国と台湾であった。ただし、両者の対策はきわめて対照的であったことは、周知の通りだろう。

中国は一党専制ゆえの意思決定の速さを発揮し、即座にパンデミックの震源地とされる武漢を都市封鎖した。一方で台湾では、民間のシビックハッカー（市民や社会の課題解決のためにサービスを開発するハッカー）の活動が感染症拡大防止に奏功した。江明宗氏が開発した「マスクマップ」（各店のマスクの在庫がリアルタイムで検索できるアプリ）を中央政府が取り上げて、台湾の市民に利用を促したことでマスクがスムーズに普及したのである。

これらに類似した対策は欧米でも行なわれたが、中国や台湾ほどの成果は出ていない。中国ほど速やかかつ徹底的な都市封鎖はなされなかったし、シビックハッカーが社会課題を解決することはあっても、台湾のように中央政府がシビックハッカーと協力して大規模展開する、といった動きまではみられなかった。

もちろん、中国・台湾で新型コロナウイルス感染症の蔓延《まんえん》が抑えられたことには、ほかにもさまざまな要因があるだろう。東アジアの人びとはＳＡＲＳ－ＣｏＶ－２に対して、遺伝的に強い耐性をもっているのではないかといった推論をしている専門家もいる。ただ少なくとも、自国政府への信頼感が増せば国民は自信をもつだろうし、実際に以前にも増して市民の活力が充実しているという見方もある。

中国には自由や人権の観点から多くの問題が指摘されており、その点については引き続き議論を深めなければならないが、いずれにせよ、われわれは東アジアの可能性に、あらためて目を向ける必要があるのではないだろうか。

振り返れば、二十世紀は欧米諸国が生み出した民主主義と資本主義、さらには社会主義などのシステムが世界を支配した時代であった。しかしいま、その価値観にいわば「マイナーチェンジ」が求められているのではないか。民主主義は多くの場合が代議制民主主義であり、ポピュリズムと分断を生み出す負の側面が露呈している。資本主義に則った絶え間ない利益の追求は、生態系の破壊を生み、社会の役に立っているとは言い難いビジネスまで生み出した。社会主義の問題点については、経済活動の停滞を促す点など、以前から繰り返し指摘されている通りである。

本書では、これらの「行き詰まり」を克服し、新たな民主主義、資本主義、社会主義を生み出すヒントとなる知見を、東アジア各国の識者、賢人に語っていただいた。

第一章では台湾のデジタル担当政務委員であるオードリー・タン氏が、市民と政府が協力し、最適解をさぐって社会課題の解決に取り組む「熟議民主主義」の現在について語る。「ひたすら何かを支持したとしても、政策の中身をよりよく変化させるものでなければ、ただ付《ふ》る政策を皆が支持したり反対したりすることを、私たちの部門では重視しませんね。あ箋《せん》を貼りつけるのと同じです」というタン氏の言葉は、代議制民主主義とは異なる熟議民主主義のめざす姿勢を端的に表しているといえよう。

SF作家である劉慈欣《りゆうじきん》氏は、中国SFではじめて世界規模のベストセラーになった『三体』の著者として知られるが、現在の社会主義中国の強みと弱点を分析し、さらには人類全体の危機についてユニークな見方を示した。劉氏は「おかしな回答かもしれませんが、私が一番危惧しているのは人類の理想郷（ユートピア）の実現です」と述べる。該当部分を読めば、彼が決して奇を衒《てら》っているわけではなく、現在みられている新たな「危険な兆候」を真摯《しんし》に憂慮しているということがわかるだろう。

第三章では、いま世界のエンタメシーンを席巻しているBTS、さらにはK－POPの成功の要因について、ソウル大学校教授で言論情報学を専門としているホン・ソクキョン氏が解説する。アイドルという文化が未成熟だったアメリカ・ヨーロッパで、なぜ七人組の若いボーイズグループが熱狂的な支持を受けたのか。韓国エンタメが世界に普及しているのは韓国の国家戦略によるものだと見なす向きも少なくないが、それは偏見だと断言して精緻な分析を展開するホン教授の見立ては印象的だ。

第四章から第六章は、日本の起業支援家、研究者に登場していただいた。第四章ではスタートアップ（独自性の高い価値を提供することで、新たな市場を開拓し、社会的にインパクトを与える企業）への投資を数多く行なってきた孫泰蔵《そんたいぞう》氏に、世界を変えつつあるスタートアップや、ビジネスのメガトレンドについて話を聞いた。とくに興味深いのが、孫氏も支援する「ＷＯＴＡ」の起業のエピソードで、日本の若者が世界の水問題の解決をめざす姿には大きな希望を感じる。また、いまの時代「それって儲かるの？」という問いをする人は、ビジネスセンスが欠如しているという孫氏の指摘にもぜひ耳を傾けていただきたい。

第五章では、ソニーコンピュータサイエンス研究所のシニアリサーチャー舩橋真俊《ふなばしまさとし》氏が、人の手で生態系を拡張させる「協生農法」の取り組みと意義について語る。協生農法とは、一つの畑に一〇〇や二〇〇種類の多様な植物を混ぜて密度濃く植えていく「混生密生」を基本のスタイルとする農法であり、食料生産を行なう生態系を人為的に設計するという試みである。アフリカのブルキナファソでは協生農法により、わずか一年で、砂漠化した土地が熱帯のジャングルのような豊かな生態系に変身し、五〇〇平米の実験農園の販売収益は、途中でテロリストの襲撃などさまざまな困難があったにもかかわらず、慣行農法の基準の五〇～二〇〇倍にものぼったという。舩橋氏は従来の三権分立の民主主義では現状の環境問題と格差の問題は対応しきれないと述べ、「第四の権利」の確立と、拡張生態系が解決の鍵となると自説を展開する。

最後の第六章では本書の締めくくりとして、社会思想家の佐伯啓思氏が、西洋と日本の「深層意識」について考察し、西洋近代の価値観が行き詰まりを見せている理由について根本的な論評を行う。佐伯氏は、西洋近代の価値観を形成する深層意識として「つくる」という概念に着目する。古代ギリシャの哲学者プラトンは、「人間は、この現実世界に、イデアという『本質』に従って働きかけ、世界をつくりだす」存在だと規定した。佐伯氏は論考のなかで、「『グローバリズム』や『テクノイノベーション』、『経済成長主義』は、その意味では、古代ギリシャにおいて、『つくる』働きがイデアから完全に自立した時に始まったといってもよいが、それは限界まできている」と述べており、それとは異なる発想として目を向けるのが日本の深層意識だ。日本と西欧の価値観の根源を問う重要な論考であるといえよう。

佐伯氏が指摘するように、西洋近代の価値観には「限界」があり、新しい世界のかたちを築くことは難しい。そのときに、私たちの足元である東アジアの価値観に目を向ける意義は大きいはずだ。実際に行き詰まりを打開する「芽」は生まれはじめている。本書で紹介した取り組みや考え方に興味を持っていただき、それぞれが何がしかの次代への示唆を汲み取っていただければ幸いである。

Ｖｏｉｃｅ編集部

東アジアが変える未来

目次

第一章

台湾型「熟議民主主義」の底力——民主主義の未来

オードリー・タン（唐鳳）

第二章

最大の危機はユートピア——人類と中国の未来

劉 慈欣

第三章

日本のカルチャーが造った道路を、韓流が駆け抜けていく
――エンターテインメントの未来

ホン・ソクキョン

第四章

なぜアジアにベンチャー生態系が必要か——ビジネスの未来

孫 泰蔵

第五章

人の手で、生物多様性を拡張させる「協生農法」——生物多様性の未来

船橋真俊

第六章

西洋近代に未来は築けない――西洋と日本の深層意識

佐伯啓思

第一章

台湾型「熟議民主主義」の底力
——民主主義の未来

オードリー・タン（唐鳳）

取材・構成・写真　栖《すみ》来《き》ひかり
（台湾在住文筆家）

Audrey Tang　台湾デジタル担当政務委員。一九八一年、台湾台北市生まれ。幼い頃からコンピュータに興味を示し、十二歳でPerlを学び始める。十五歳で中学校を中退、プログラマーとしてスタートアップ企業数社を設立。十九歳のとき、シリコンバレーでソフトウエア会社を起業。二〇〇五年、プログラミング言語「Perl6（現Raku）」開発への貢献で世界から注目を集める。同年、トランスジェンダーであることを公表し、女性への性別移行を開始（現在は「無性別」）。一六年十月より、蔡英文政権において三十五歳の史上最年少で行政院（内閣）に入閣、デジタル担当に登用。著書に『オードリー・タン　デジタルとＡＩの未来を語る』（プレジデント社）。

シビックハッカーがもつ「共創の精神」

――（栖来）タンさんは台湾のデジタル担当政務委員をつとめていらっしゃいますが、まずデジタル行政に関連した質問から伺います。台湾にはなぜ多くのシビックハッカー（市民や社会の課題解決のためにサービスを開発するハッカー）がいるのでしょうか、また、政府はどのように彼らと連携をとっているのでしょうか。

タン　シビックハッカーは台湾に限らず、インターネットのある場所ならば世界中のどこにもいます。彼らに共通するのは「政府が動くのを待ってなんかいられない」こと。力を注《そそ》ぐ価値のある社会問題に気づけば、解決方法を考えて実行する。日本でも一般社団法人コード・フォー・ジャパンといったシビックテック（市民自らがテクノロジーを活用して、社会が抱える課題を解決しようとする取り組み）が、災害時にも力を合わせて被災地の要望に応えてきました。人数としても、台湾だけが特段多いわけではありません。

とはいえ、呉展瑋や江明宗（マスクマップや感染例マップを制作したことで知られる台湾の有名なシビックハッカー）など、シビックハッカーが政府や自治体と協力した成功事例が台湾に多いのは確かですね。他の国で政府が活用しようとするのはたいてい、政府に対して特別な情熱をもっている人でしょうから。呉展緯や江明宗が全国的なシステムをつくったとき、二人は台南にいて、完全なオンラインで市や政府が協力して必要な資料を提供しました。政府が積極的に市民を信頼したからこそ、成しえた例だと思います。

――台湾の憲法に「創制権（台湾の国会である立法院から独立して、国民が法律の制定・改正を提案する権利）」があるから、台湾では国民の政治参与が多いのではないかと考える日本人もいます。

タン　「創制権」を憲法に入れたのは孫文ですが、彼はスイスの政治体制にインスピレーションを受けたそうです。いわゆる代議制民主主義ではなく、直接民主主義も取り入れたい、これが「民国」という二つの文字の源になっているのでしょう。しかしいま台湾で起こっていることの理由が台湾の憲法に基づくかどうかは、専門家に尋《たず》ねる必要がありますね。

――本日のインタビューには、タンさんの運営するＰＤＩＳ※のスタッフで、法律の専門家である葉寧さんも同席されています。葉寧さんはどのようにお考えになりますか。

葉寧　憲法に明記された「創制権、複決権（立法院が制定した法律について、国民が投票で採否を決める権利）」が現在の状況につながっているかどうか、それは明確に実証はできないのですが、いまの台湾社会では確かに伝統的な代議政治体制のほか、市民も多くの公共政策に参加していますね。国民が自分の意見や熱意を表明する権利は、必ずしも政治の代表者やメディアを通じて表明されるものでないのは、「創制権」という考え方とも一致していると は思います。

※PDIS：Public Digital Innovation Space、オードリー・タンのオフィスであり、政策を生み出すラボ的デジタル空間でもある。

タン　しかしそれは一種の啓発ではあっても、そのように憲法を変えなければ、シビックハッカーの政治参加ができないということではありませんよね。

葉寧　いまの我々の文化的、あるいは政治環境を変化させようとする取り組みは、制度の後ろ楯になっている憲法といった代表的価値と総じて符合するものかもしれません。しかし、そうした価値の実現は規範がみちびき出すものではなく、市民のなかで価値として再発見され、再定義されるように文化を変えていくことが必要になると思います。

ショートメール実名制の実現

――台湾でシビックハッカーが活躍した事例として、最近では「ショートメール実名制〈新型コロナ感染拡大防止策として入店時に連絡手段となる情報の登録を求める〈実聯制〉に対応する登録システム〉」やワクチン・マッチング登録システムが挙げられます。

タン　いずれもg0v《ガブゼロ》※のコミュニティで議論され、ブラッシュアップを経たシステムです。私もg0vの一員なので、コミュニティ内のあちこちで多様な方法を見聞きします。最終的に政府がその方法に予算を組んで推進しようとなれば、最適と思われるやり方を抽出《ちゅうしゅつ》して採用し、具体的な実装に繋《つな》げます。

※g0v：台湾のプログラマーのグループによって二〇一二年に設立されたシビックハッカーのコミュニティ。二〇一四年、「海峡両岸サービス貿易協定」という法案が強行採決されたことに憤った学生が立法院を二十四日間占拠した「ひまわり学生運動」が起こったが、g0vは立法院占拠の模様をインターネット中継し、一躍話題となった。

――そもそも、シビックハッカーは無償で活動しているのですか？

タン　多くの人がほかに本業をもちながら参加しています。これは我々プログラミング界にある「オープンソース」的な運動と関係します。

たとえばファッションデザインはオープンソースです。あるデザイナーが試した色や組み合わせは、次のシーズンで皆が真似できます。法律の世界も同じで、弁護士や検察官、裁判官が法律を運用して素晴らしい見解を出したとしても、他の弁護士が自分の著作権を侵《おか》したから訴えるなんてことはないですよね。

プログラミング業界では、ファッション業界や法曹界と違って著作権を主張するのは可能ですが、たいていの人は著作権を他人と喜んでシェアします。「できる人がいたら一緒にやろう」という精神がないと、自分の製品やサービスの欠陥の改良を、今度はクライアントと一緒に解決することになる。それはビジネス的に損ですからね。「共創の精神」は、プログラミングの世界においてビジネスと相反しません。

――「共創の精神」こそ、シビックハッカーが自らの労力を他人とシェアするモチベーションだと。

タン　誰かがすでに解決した問題をもう一度研究せずに済み、別の人が考え抜いた解決方式をさらに改良できることは、大きなモチベーションになるでしょうね。もしチームが新しくなるたびに振り出しから問題に取り組まねばならないなら、非常に大きな組織で行なうしか道がなくなります。

コロナ禍《か》の情報システムを例に考えてみましょう。毎日のように状況が変わる情報に対して、とても大きな規模のチームだけが情報システムを変更でき、他の誰も触《さわ》ることができないとします。すると状態が少し変化しただけで、ある瞬間には最も素晴らしかった解決策が、最適ではない古い方法となる。しかも、そこで発生した問題がチームに見えない限りは、新たな解決策は生まれません。したがって公共利益のみならず、皆の開発資本を節約する意味でも、オープンイノベーションは道理にかなっていますね。

政策の影響を受ける人も巻き込んで議論する

――シビックハッカーと政府の連携では、シビックハッカーが政治を支えるのではなく、政府からお願いするのでしょうか。

タン　政府がシビックハッカーの行動を支持します。シビックハッカーは政府をまったく当てにしませんが、公共利益の追求という意味では、公務員に求められる基本価値とかなり近いかもしれません。

ただ厳密にいえば、政府だってシビックハッカーのために何かをするわけではありません。たとえばマスク着用人口を七五％にまで上げたいだとか、双方の求める価値が同じであったからこそ連携できたのが台湾のマスクアプリであり、実名制マスク販売制度でした。実聯制も、手書きでしか対応できなければ入り口にすぐ人だかりが生じてしまう。その緩和が政府とシビックハッカーの共通の願いであり、実現したのが「ショートメール実名制」なわけです。

私は「合作（中国語で協力の意味）」ではなく「協作」という言葉をよく使います。「協」という字をよくみると、共通価値を表す十字星（偏《へん》）が三つの力（旁《つくり》）を集めているでしょう。特定のテーマやある種の特別な価値における共同作業なのです。英語には最も的確な言葉がありますね。たとえ立場が違っても、もともとは敵同士であった人でさえ、一緒に何かをすれば「Collaboration（コラボレーション）」です。

――「協作」を実現するために、縦割り行政と民間コミュニティを横軸でどのように繋ぐのでしょう。

タン　私も務める「政務委員」という役職は、異なる部門にまたがって調整するのが本来的な役目です。ただし、私だけ大きく違う部分があるとすれば、各部門間の調整のみならず、政策の影響を受けるかもしれないすべての人を巻き込む議論をめざしているところでしょう。

そのため我々は「Ｊｏｉｎ」などネット上のプラットフォーム以外に、「オープンガバメント連絡人」制度を整備しました。一〇〇名ほどの人びとが、三級・四級機関（三級は「署・局」、四級は「分署・分局」に当たる）の異なる機関で仕事をしています。内容はそれぞれの業務単位における調整役で、政務委員が行政院本部で行なっている業務と同様です。そこで議論したい方法や間もなく制定される政策について早めに現場に伝えて意見を聴き、異なる意見を調整する。事前に内部で練り上げることで、外に出てから問題化することも避けられます。シビックハッカーも含めて政策についての意見を聴くこともあるし、かといってシビックハッカーだけと連絡を取り合うわけでもありません。

――日本のデジタル庁が二〇二一年九月に設置されたとき、助言をされたそうですが、この制度に関するアドバイスもされたのでしょうか？

タン　デジタル庁にも、外部と繋がるための一〇〇名程度の非政府関係者がいると聞いています。この一〇〇名は非常に重要な「種」です。彼らとデジタル庁内の官僚たちが、一つの文化上で切磋琢磨《せっさたくま》し、互いが共同の価値に向かって努力する関係であることを認め合う。さらには外の世界に向けて証明してみせるのです、「ほらみて、政府と民間はこんなふうに協力し合えるよ、力を合わせることは可能だよ」って。

国際小包詐欺の問題を解決

――「Ｊｏｉｎ」「ｖＴａｉｗａｎ※」などの市民参加型のデジタル政策プラットフォームは、どのような問題意識から生まれたのでしょうか。

タン　二〇一四年の立法院の占拠（ひまわり学生運動）がきっかけです。運動のあと、政府と市民のあいだで意見の対立があるたびに立法院を占拠するような事態が起きては大変だから、インターネット上で討論をしてはどうかと意見が出ました。国民だって政策について「アクセルを踏まないと！」「ブレーキをかけて！」といった提案に加わりたいという声です。

二〇一四年の末、当時の国家発展委員会と蔡玉玲政務委員は、市民参加型政策プラットフォームの仕組みをどう構築するかについて、民間コミュニティと積極的に模索しました。政府がきちんとした説明を怠《おこた》ったがために占拠事件に発展したならば、いまの社会で重要なのは十分な説明であるという考え方です。二〇一四年の出来事がなくとも、似たようなシステムはできていたとは思います。ただ、いまのように中央政府レベルで一気に展開することも、多くの人の注目を集めることもなかったでしょう。

※**vTaiwan**：二〇一四年の馬英九政権時に、当時の政務委員だった蔡玉玲氏とタン氏が共同開発した法案を討論するためのプラットフォーム。

――政策プラットフォームの仕組みづくりにあたって参考にした海外の事例はありますか。

タン　日本を含めて多くの国には、市民が自分たちの声を寄せる「意見箱」がありますよね。メモを箱に直接入れるタイプとか、インターネットを使ったものとか。

Ｊｏｉｎと意見箱の最大の違いは、Ｊｏｉｎが公開討論であるところです。一人が出した提案が五〇〇〇人分の「附議」を集めれば、五〇〇〇人の人びとが自分の意見を政府に提出したことになります。提案を支持せず、異なる意見をもつ人のための欄も設けてあります。

ビジュアル的に参考にしたのは、「Better Reykjavik」というアイスランドのシステムです。他にはスペインの「Consul」「Decidim」、アメリカの「WE the PEOPLE」やイギリスの請願制度からもヒントを得ています。

――台湾並みの規模の市民参加型デジタルプラットフォームは、世界に類をみないのでは？

タン　政府の投資規模でいえば世界一だと思います。我々が世界中のプラットフォームを見た限り、一つ、二つの機関で対応できる問題には比較的有用な応対ができていました。しかし、それよりも多い行政部門にまたがる問題には、あまり力を発揮できていなかった。台湾では、我々の設計したオープンガバメント連絡人制度によって、部門をまたいで機能しています。

――その具体的な事例はありますか。

タン　最新の例に「国際小包詐欺横行」があります。「国際小包が届いたので近所のコンビニに受け取りに行くように通知が届き、そんな注文はしていないにもかかわらずうっかり代金を支払ってしまった商品を返品できない」との相談がＪｏｉｎに寄せられました。実生活との関わりが大きく、海外の国から税関、流通、コンビニなど四、五つの異なる部門にまたがっており、単独解決が難しい問題です。

Ｊｏｉｎのサイトに入れば、具体的な討論の過程を見ることができます。提案人は「小歐」、五〇〇〇の「賛成」を集め、八〇回の「協作会議」を経ています。会議では交通部、財政部、経済部、内政部、公平交易委員会、消費者保護センターと全部で六つの異なる組織が関わり、最終的にはオープンガバメント連絡人が行政とコンビニエンスストア企業を結びつけて解決しました。

世論調査の結果にはこだわらない

――日本のパブリックコメント制度は、政治に反映されている実感が持てません。日本のデジタル庁とのミーティングでは、「Ｊｏｉｎ」のようなプラットフォーム設置の可能性について言及はされましたか？

タン　私は関係者のお一人と意見交換をしているだけで、日本に赴いて公務員を指導するようなことはありません。

一般的に、もし行政の耳に何かしら情報が入り、具体的に実行可能だと行政側も思えば、喜んでそれを詳しく聞きに行くでしょう。具体的に実行するのは難しいか、もう了解済みだがどうにもならない問題ばかりなら、仕事は他にも山ほどあるし、情報収集に力を使う余力なんてない、で終わってしまう。つまり市民の希望が政策に生かされていくうえで大事なのは、市民の個人経験や感覚を、行政側が具体的に実現可能な計画に落とし込むまでの過程を創り出すことにあります。

私たちの場合は「協作会議」で、会議調整スキルを駆使してオンラインにいる五〇〇〇以上の人々が発散している様々な考え方を、できるだけ短い時間内、例えば一日の仕事のうちに、行政側が時間の無駄と感じないレベルにまで凝縮させます。すると、本当に有用な情報や、民間と連携できそうなポイントが見えてきます。私が思うに、もっとも重要な部分がここですね。体制内にいる公務員にとって、市民参加は未来的なパワーの節約になるし、リスクも下げられるという見方を提供することができれば、彼らだって積極的に乗ってきます。我々はこうした「省エネ」と「安心」を二つの原則にしています。この原則だけが、官僚などの公務員を巻き込み、「Ｊｏｉｎ」のような制度を前に進めていく力になるのです。しかしこれは海外に行って指導できるような性質のものではありませんよね。政治的な雰囲気や環境があってこそ実現するものですから。

葉寧　公務員という立場からお話ししましょう。民主主義が迎えている最大の危機というのは、確かに二年から四年に一度の投票のせいといえるかもしれません。大きな権力が得票した人の元に集まり、それを大きく変える機会が投票以外にないからです。でも今の話のように、本来的に民主は毎日発生していることで、投票とはその過程のただ一つの方法でしかないと私も思います。

また、公務員制度がどうすれば民主的意見を受け入れるかという話ですが、民間からの要望や提案を受けた公務員が直面するのは、もし問題を解決したいなら責任を負い、大きな力を使わねばならないという困難です。しかし時間も問題に対応する資源もないことがほとんどです。

ですが、文化や社会の雰囲気が変われば、自分は問題を解決できなくとも、最も適した人を探し出せるかもしれないことに気づけます。先ほどの詐欺小包の案件でも、コンビニと顧客の間で発生することなので、公務員の我々には永遠に気づきようのない問題です。でも我々が問題に気づくことができ、コンビニ企業と連携をとって解決できた。公務員にとってもこれは嬉しいことです。実は総統杯ハッカソン※のお題も、多くは公務員が考えて出したものなんですよ。「変える」ことは一つの文化で、民主とは投票だけに限らない。それは、我々の今の「文化を変える」取り組みそのものですね。

※総統杯ハッカソン：ハッカソンは限られた時間内に、グループで知恵をしぼり、課題に対して最良のアイデアをプレゼンテーションする競技。総統杯ハッカソンは、総統府が主催、オードリー・タンが主導しているハッカソンで、二〇一八年から毎年行われている。

――タンさんを中心に進む「熟議民主主義」が台湾の人びとの生活に浸透していった結果、たとえばオリンピック・パラリンピックレベルの大きな政策上の意思決定を揺るがすほどまで、デジタル民主主義が発展する未来は考えられますか。

タン　ひたすら何かを支持したり反対したりすることを、私たちの部門では重視しませんね。ある政策を皆が支持したとしても、政策の中身をよりよく変化させるものでなければ、ただ付箋《ふせん》を貼りつけるのと同じです。付箋に「支持します」と鉛筆で書かれたものを何万枚とペタペタ貼られても、「皆さんの支持に感謝します！」と返すだけのことです。

私たちが気にかけているのは、どうしたら政策をよりよくできるかどうかです。先ほど、民間と行政がどうやって共に一つの問題解決に向かえるかについてお話ししましたが、どこに共通の価値を見つけられるのか、どのようにそれを表現して達成し、多くの人に了解してもらうのか——。私はいかなる制度をつくるときにも、世論調査の結果といったものにはこだわりません。

一人一票ではない、新しい投票のかたち

——日本のテレビ局のインタビューで、投票のことにふれていらっしゃいましたね。二年や四年に一度というのではなく、オンライン上で二十四時間ごとに投票することも可能といった内容でした。確かに、毎日の買い物だって、ある意味では投票行為であると言えそうです。

タン　政府は多くの場合、国民に何かしてほしいとか何かをするなとか要求はできません。ただ情報が十分に公開されてさえいれば、あとは皆それぞれで自分がどうするかを決める。これは民主主義といっても、先ほど言ったような政策の制定や法規制についての議論とは少し異なり、ソーシャルイノベーションに関する業務ですね。

「カーボンニュートラル」を例に挙げましょう。スーパーでクッキーを一箱買うとなったとき、このクッキーが今の価格で売られていることは、未来の子供たちの環境を壊していないか、このコストの外側に環境汚染があれば、そのコストは私のポケットから出るのではなく、私の子孫たちが支払うのではないか――そうした問題意識から生まれたソーシャルイノベーションが、「透明足跡」といったアプリでした。商品のQRコードを通せば、そのクッキーがどのぐらい環境を破壊もしくは貢献しているかわかる仕組みです。

このアプリが誕生した総統杯ハッカソンでは、毎年五組のソーシャルイノベーター・チームに対して、マンパワーや経済面、または法規的な面でバックアップし、行政のなかでも経済セクターや公共セクターの中に彼らのパートナーを探して、一緒に彼らの新しいアイデアを実現させています。こうすることで社会セクターが可視化され、小規模試験で実行可能なものが全国的な範囲に広がっていきます。つまり民間から生まれたアイデアを増幅し、拡散していく手伝いをしていくということです。

――総統杯ハッカソンでは、「クアドラティック・ボーティング」※といった新しい投票方式を採用していますね。

タン　知人であり、イーサリアム※の共同開発者であるヴィタリック・ブテリンを通して知りました。各個人やコミュニティの方向性や好みがよく表われる、かといって後発者の権益や方法論を犠牲にしない投票方式として、イーサリアムでクアドラティック・ボーディングが運用されているということで、その開発者である経済学者のグレン・ワイルとコンタクトを取って、オンラインミーティングをしたのです。その時にグレン・ワイルが出してくれたアイデアを、ちょうど計画中だった総統杯ハッカソンに取り入れました。

※クアドラティック・ボーティング：複数への投票を促し、民主主義の深化をはかる投票方式。投票者がひとり九九ポイントを持ち、一つの対象に対する投票には最大八一ポイントまでしか費やすことができない。必ず複数に投票を行なうことになる。

※イーサリアム：二〇一四年に公開されたオープンソースのブロックチェーンプラットフォーム。ロシア系カナダ人ヴィタリック・ブテリンによって考案された。

――「クアドラティック・ボーティング」は、今のところ最善の投票方式ですか？

タン　いえ、どんな投票法にも必ず限界はあり、最も優れた方法がある、なんてことはあり得ません。どういった投票方式をデザインするにも、結局はその時の社会環境次第、いわゆる「一番いい」投票方法なんて存在しないと思いますよ。

——他に興味を持っている投票方式は？

タン たくさんあります。例えば「クアドラティック・ファンディング」あるいは「クアドラティック・ファイナンス」とか。自分のお金を使って投票する、更に進んだアプローチですね。

ひまわり学生運動は「大災害級のうねり」だった

——「vTaiwan」「Jo.in」が生まれるきっかけとなった、「ひまわり学生運動」について伺います。タンさんはこの運動への参加を契機に、前出の蔡玉玲氏に推薦されて台湾の民主主義の舵取りに本格的に関わるようになりました。ひまわり運動は、現政権における大きな社会的原動力として作用しています。一方で日本では、反政府デモというとイデオロギー色の強いものというイメージがあり、国民の広範な支持へと拡《ひろ》がりづらい現状がありますす。社会運動について日台にはどういった違いがあるでしょうか。

タン　ひまわり運動の特色は、反対のために抗議するデモンストレーションではなかった点です。どちらかといえば、「モデルケース」「手本を見せる」ためのデモンストレーションでした。英語の demonstration には、二つの意味があります。一つは「威力を見せる」ことで、もう一つが「手本を見せる」こと。後者はたとえば、泳げない人にコーチが泳ぎ方を見せて教えることが挙げられます。

ひまわり運動が示した「デモンストレーション」は、コンセンサス（合意）を導き出すプロセスでした。二〇ものＮＧＯ（非政府組織）が、当時物議を醸《かも》していた「海峡両岸サービス貿易協定」に関する個々の問題を受けもちました。立法院を占領した学生や街に出た五〇万人、オンラインの参加者と話し合うことで、皆のコンセンサスを「四つの要求」としてとめました。最終的には、王金平立法院長（国会議長に相当）が出てきて、私たちの要求を受け入れたのです。ひまわり運動は、互いの信頼のなかに生まれる一つのコミュニケーションを基礎としたデモンストレーションでした。

——それ以前も台湾では多くの民主運動が行なわれてきましたが、ひまわり運動は何が違ったのでしょう。

タン　最も大きな変化は、参加者自身が多様な役割を担《にな》うようになったことでしょう。以前は皆が二次的な報道を見ていましたが、ソーシャルメディアの進展により、スマホを開ければ自分自身がテレビ局の中継者になれるし、中継を見て現場を応援することもできるようになりました。リアルタイムの発信は、誰もが参加者であるという意識をもたらします。現にひまわり運動では、私たちのメッセージが世界中に広がり、多くの言語に翻訳され、ついには『ニューヨーク・タイムズ』紙に意見広告を載せるまでに展開しました。

――誰もが情報の受信のみならず発信もできる。画期的な変化ですね。

タン　このように個人の役割が多様化するなかで、私たちが重視していたのは、人びとのメディア・リテラシーを高めることです。インターネット空間は事実上、誰もが創作者になれる世界です。創作者のコンピテンシー（高い成果につながる行動や思考の特性）は、他者と密に影響し合うことで高まります。そのため、最初は皆が別の関心をもっているようにみえても、いざ可視化されれば共通の関心に気づき、創造がどんどん加速していきます。

――社会運動に取り組む創造力が、日本と台湾との決定的な違いでしょうか。

タン　日本のコロナ対策においても、クリエイティブな動きはみられましたよ。たとえば前述したように、一般社団法人コード・フォー・ジャパンはシビックテックの働きをみせており、同社代表理事のハル・セキさん（関治之《せきはるゆき》氏）は、二〇二〇年十一月に日本政府ＣＩＯ

補佐官に着任しています。

時を遡《さかのぼ》れば、メッセージアプリのLINEだって、二〇一一年三月の東日本大震災をきっかけに生まれたツールです。日本は、大災害時の社会的な連帯のなかで新たな仕組みをつくってきました。台湾のひまわり運動はまさしく「大災害級のうねり」だったために、あらゆる社会的な紐帯《ちゆうたい》を連結させたといえます。

日本では、これまで社会が連帯してクリエイティビティを発揮してきたのが、政治的な民主システムという場所ではなかっただけでしょう。もし民主主義という箱を皆で叩いて開け、力を合わせてより良くできるものがあれば、日本も台湾も違いはないのです。ハル・セキさんのように市民社会と政府のあいだに立つ人が増えるほど、「民主システムは一つの密室ではない、自分たちで変えられるものなのだ」と皆が思えるでしょう。

ワクチン接種で発揮されたデジタルの力

――「熟議民主主義」の精神は、台湾の若い世代にどのように息づいていますか。
タン　ここでは三十五歳未満について話しますが、多くの若者が生活のなかで不公平や不正義に初めて出合ったときというのは、とても尊い瞬間です。彼らが不正義をどのように解決するかを考える際、慣れや妥協はありません。彼らのビジョンは、世界が本来あるべき姿に近いともいえるでしょう。

いまの若者はデジタルネイティブで、生まれたときからグローバルな環境の下《もと》で成長します。問題にぶつかれば、世界の他の場所ではどう解決されているかを直観的に知ろうとするだろうし、解決方法において環境的な制限をあまり受けません。たとえば、社会活動家である林薇《リンウェイ》の「小紅帽」※の活動は空想から始まったのではなく、ヨーロッパの国々の取り組みを具体的に参考にしています。若者たちの世界は広く、インスピレーションに溢《あふ》れています。

※林薇（リン・ウェイ）の「小紅帽」：林薇は台湾の社会活動家。イギリスで公衆衛生について学んでいた二〇二〇年に、WHOのテドロス事務総長に公開ビデオメッセージを送ったことで世界的に知られるようになった。社会に素晴らしい貢献をした世界中の若者の功績を讃える「ダイアナ・アワード」を二〇二一年に受賞。「小紅帽」は台湾で設立された、生理用品が購入できないなど女性の月経に関する貧困問題に取り組むNPO。

――タンさんの活躍も、若い世代への刺激を生むでしょうね。

タン　私が若者に提供するのはあくまで、目指すべきベクトルに過ぎません。ベクトルが定まれば、あとはエネルギーは自然とついていきます。彼らには「台湾はこうだから」なんて思い込みはありません。

行政院には青年諮問委員会が設けられており、それぞれの部門から三十五歳未満の人が数人集まって、省庁の政策にアドバイスします。部長クラス（大臣に相当）でも若者の意見を取り入れるので、我々は「青銀共創」と呼んでいます。私はもう「シルバー」のほうですが（笑）。

――いまタンさんが最も憂慮《ゆうりよ》している台湾の問題は何でしょう（取材は二〇二一年七月二十九日）。

タン　ワクチンの接種率をどうやって上げるかですね！　このテーマに取り組んでから随分経ちますよ。台湾に限った悩みではありませんが。

――日本もなかなかワクチン接種が進んでいない状況です。

タン　いえいえ、日本は二回目まで打ち終わった方も少なくないし、どのように計算するかにもよります。たしかに台湾の日々の接種速度は日本を超えています。しかしそれは、日本が本来なら自国で打てたワクチンを我々に贈ってくださったからです。大変感謝しています。

台湾では現在、アストラゼネカ（ＡＺ）製ワクチンの接種希望が過去最高に達していますが、最初からそうだったわけではありません（当初はワクチンの副反応が喧伝《けんでん》され、接種を忌《き》避《ひ》する人が少なくなかった）。それでもこの一カ月でＡＺ製ワクチンの需要が飛躍的に伸びたのは、透明性のある公共的な公開議論のおかげです。

私たちが今回つくったワクチン・マッチング登録システムでは、まずは少数のＡＺワクチン希望者から始め、日本からワクチンが一〇〇万回分届いたときにはちょうど一〇〇万人の希望者が見つかりました。周囲がＡＺ製を打っているとなれば、安心感が生まれて接種意欲も高まります。オープンな議論とマッチング・システムにおける情報の透明性により、一人ひとりがワクチンに対してポジティブに向き合うことに繋がったわけです。

世の中の憂慮は個人だけのものではなく、プラットフォームを使って議論すれば、やがて社会全体を巻き込んで討論できる一つの話題になります。そしていつしか、自然とワクチン接種率や世論調査、投票率といった具体的な数字として表れるのではないでしょうか。

日本は「六十分後の未来」の国

――ワクチン以外にも、日台の連携において日本の特色をどのように活かせるでしょうか。

タン　私は幼少期から、日本は未来にあると思っていました。厳密にいえば「六十分先の未来」に（笑）。台湾と日本には一時間の時差がありますからね。

台湾で現在、盛んに討論されている「地方創生」という概念一つとっても、日本から取り入れられました。台湾で政策を策定する際にも反射的に日本の現状や経験が気になりますし、参考にします。逆に台湾のちょっとした変化やソーシャルイノベーションで役に立てることがあれば、日本にお返ししたいと考えます。皆さんがとても「謙虚」を尊ぶ文化だと承知していますが、実行している多くの政策は私にとって本当に「六十分先の未来」なんです。

――オードリーさんはもともと、二〇二一年七月の東京五輪開会式に出席する予定でしたね。現地での出席を取りやめたのはなぜですか。

タン　私の「実体」が東京に行かなかったのは、オリンピック委員会の防疫措置《ぼうえき》に協力するためでした。今回の五輪を通して、高水準の防疫とはどんなものかを多くの人が学ぶでしょう。世界には、マスクの着用でさえ社会のなかであまり意識されない、支持されていない地域があります。私は、東京五輪の開催がエピデミック的な公共情報を伝える意味で悪いことだとは思いません。とはいえ、日本の多くの皆さんが開催をリスクと感じていたことも理解しています。

――当初掲《かか》げられていた「復興五輪」という理念が軽視されていたようにも感じてしまいます。

タン　私は、二〇一一年に東北で起きた震災の影響を受けた地域にずっと強い関心をもち続けていますが、そのうえで感じることが二つあります。

一つは、世界がいつかパンデミックから徐々に回復していくなかでいかに足がかりをつくるかについて、被災地の皆さんの努力や経験から培《つちか》われた唯一無二の洞察力が重要な役割を担い、貢献するだろうこと。

二つ目は、福島をはじめ被災地が復興していく過程を見ている人びとが、このパンデミックで味わっている不愉快な状況もいつかは克服されて養分となる、そうした精神性を広く知るだろうことです。そのとき被災者の方々こそが、精神的に我々を導いてくれるでしょう。

新型コロナ対策には、SARSでの経験が生かされた

――改めて、台湾の新型コロナウイルス感染症対策について取り上げたいと思います。台湾は二〇二〇年、感染者をごく少数に抑え込み、「新型コロナ対策に最も成功した国」と世界から称賛されました。デジタル担当閣僚としての立場から、その要因をどう考えていますか。

タン　政府が市民を心から信頼したこと、そして共同体の構成者が共に「防疫」に専念し、コミュニケーションの問題に向き合うソーシャル・イノベーションをつくり出したことが挙げられます。多くの国では国民を信頼できずに、ロックダウン（都市封鎖）をはじめとする高圧的な手法がとられました。顕著《けんちょ》にみられたのは、誤った情報がネット上で飛び交《か》う「インフォデミック」です。これが起こると、政府は国民をさらに信頼できなくなり、ますます高圧的な対策をとる悪循環に陥《おちい》ります。

しかし台湾は真逆でした。我々はインフォデミックに対抗するために、衛生福利部に勤務するスタッフが飼うかわいい柴犬をマスコットに起用しました。このマスコットを通して政

府からの情報を提供したり、私自身も「ドラえもん」に扮《ふん》して情報提供に努めたりしました（笑）。愉快な情報は、脅《おど》しや怒り、不愉快な噂《うわさ》よりも速く伝わるものです。たとえば、国民がマスクを手に入れるために必要な情報を広く確実に伝えたいとしましょう。その情報をユニークな画像に加工してソーシャルネットワークで共有すれば、人びとがそれを面白がるほど画像は速く広くシェアされていきます。しかも情報どおりにマスクが手に入ることで信頼感が生まれる。人びとは信頼の置けない情報には自然と興味を失います。こうなればしめたものです。

――私もコロナ禍を台湾で過ごすなかで、政府からさまざまな共感や愛情を感じとり、共に防疫に取り組もうと思うことができました。政府にとって、コロナ対策の原動力は何だったのでしょうか。

タン　「二〇〇三年のSARS（重症急性呼吸器症候群）のときのような状況を繰り返すわけにはいかない」との強い思いがありました。当時は中央政府と地方自治体が異なる情報を発信しており、状況は混乱そのものでした。さらに病院が急に封鎖されるなど、人権侵害に関する予期せぬ事態も次々と起きてしまった。おそらく三十歳以上の方であれば、当時の悲しく恐ろしい記憶が脳裏《のうり》に焼き付いていることでしょう。政府は二〇〇三年の社会における信頼感の欠如が骨身に沁《し》み、それ以降は年々、感染症対策のアップデートを重ねていきました。そして今回の新型コロナにはうまく対応することができたと思います。

――SARSでの経験がいかんなく活かされたと。

タン　過去から学ぶことは我々をより早く成熟させてくれます。フェイクニュースに関してもそうです。台湾で二〇一六～一八年をピークに情報戦が繰り広げられたとき（二〇一八年十一月の台湾統一地方選に向けて、蔡英文《さいえいぶん》政権に批判的な中国がフェイクニュースやスパイ工作などで圧力をかけたと指摘されている）、政府が言論を取り締まって収束をめざすべきという意見も散見されました。しかし締め付けを厳しくすることは、問題を水面下に移動させるだけです。

同じような状況は、今回のコロナ禍でも起こりました。繁華街で感染が発生し、「すべての店を閉店させろ、懲罰を与えろ」と一部の世論は盛り上がりました。しかし、台湾のCECC（中央感染症指揮センター）はそうした強硬策はとらなかった。問題が地下に潜ってしまえば、ついにコントロールが利《き》かなくなります。どんな問題であれ、政府から見えなくなってしまえば解決することはできない。情報を透明化し、コミュニケーションによって対処することが重要なのです。

私たちが目指すのは、社会の創造性を通して物事を実現する仕組みです。たとえばソーシャル・イノベーション・ラボ（台湾台北市）やトレンドマイクロといった企業、PTTというインターネット掲示板のような民間サークルが、いまでは安定した力として作用しています。大企業や政府に限らずそうした民間のパワーが、問題が起こった際の初期の警告者となり、中期の防衛者となり、そして解説者という役割を請け負ってくれます。

ユーモアは噂を超える

――新型コロナ対策に関わる情報のオープン化（GPSやデータ活用）に伴い、プライバシーの侵害など人権とのあいだに矛盾が生じる、といった問題はありましたでしょうか。

タン　重要なポイントは、政府にプライバシーを知られるかどうかではありません。むしろ発想は逆で、政府に保存している自分の資料が取得しやすくなるかどうかでしょう。たとえばいま台湾では、携帯電話に健康保険アプリをダウンロードしてアクセスすれば、そこから歯医者や病院の診療履歴、健康検査の結果、接種済のワクチンについてなど、あらゆる情報がダウンロードできます。閲覧できるのは本人のデータのみで、もちろん他の人の資料を見ることはできません。プライバシー情報は厳格な法規で守られ、第三者が私的に利用できない仕組みになっているからです。

私たちが開発した、マスク在庫がリアルタイムで確認できるアプリ「マスクマップ」に関していえば、私たちが「オープンソース」として公開される情報は統計であり、個人情報とは関係がありません。個人が情報の利用者になると同時に作成にも参加できれば、情報との距離が縮《ちぢ》まって全体に信頼感が生まれます。

また、薬局やコンビニエンスストアでは実名制で購入する仕組みもつくりましたが、そこでなぜ健康保険証を利用したかといえば、台湾に住む九九％の人が所持するカードだから。じつはカードがどれほどの個人情報を収集しているかは関係ないのです。

――蔡英文政権は、発足当初からいまのように官民の距離が近いわけではなかったように思います。二〇一八年十一月の統一地方選挙で民進党が大敗してから大きく変わったのではないでしょうか。

タン　統一地方選以降、中央政府の広報の手法に変化があったことは確かです。以前の政府発表はすべて「四角四面」で堅苦しかった。人びとが積極的に見たいと思う発信ではありませんでした。誰にも見られないということは、誰にも伝わらないということです。当然、噂やフェイクニュースにつけ入る隙《すき》を与えます。
硬直した状況をガラリと変えたのが、政府の広報担当になったグラス・ユタカ報道官です。それまでのコミュニケーションを楽しい方式に変革したことで、その後のコロナ対策における柴犬のマスコット起用にも繋がりました。この「humor over rumor（ユーモアは噂を超える）」という概念は以前からありましたが、グラス報道官が着任して以降、蘇貞昌《そていしょう》行政院長（首相に相当）が自ら先頭に立って「お手本」を示すようになったことには大きな意味がありました。「蘇院長より面白くてクレイジーな発信を！」と、皆で楽しさを競い合う、良い循環が始まったのです。これはコミュニケーション方式の進化といえるでしょう。

片時も「香港を忘れない」こと

――中国の戦闘機が台湾周辺での動きを活発化させ、現実的な脅威が増しているように感じます。日本では、近い将来に中国が台湾を武力統一するのではないかとの懸念も議論されています。

タン　このような状況は、実は今に始まったことではありません。一九九六年ごろからずっと続いていますね。この動きはいわゆるパワープロジェクション（戦力投射）ではないと思います。投射されているのはパワーではなく、むしろ中国自身が抱く不安感ですね。

――二〇二〇年六月末に中国で香港国家安全維持法が施行されて以降、特に香港の民主が急激に後退しています。「今日の香港、明日の台湾」というフレーズが示す通り、香港の事態は台湾にとっても他人事ではないと感じます。現状をどうご覧になりますか。

タン　台湾には、現在のような報道の自由がなかった時代がありました。そこで、人権問題に携《たずさ》わる人びとは国際的な理解を得るために、香港のジャーナリストの力を借りてきました。香港を介して世界中の自由な記者たちが活躍してくれたからこそ、いまの私たちがあるのです※。

その経験を踏まえると、台湾には二つの重要なミッションがあります。一つは、香港で助けを必要としている人たちにできる限り手を差し伸べること。香港をベースに活動していた国際メディアや、民主化運動を支持するNGOのなかには、すでに台湾に拠点を移している組織も存在します。

もう一つは、片時も「香港を忘れない」こと。かつて戒厳令下にあった台湾で、香港を通じて国際的に注目されていた期間は、自由と民主が大きく傷つくことは避けられていました。しかし台湾の存在が世界でひとたび忘れられたならば、犠牲はもっと大きなものだったでしょう。現在の香港に関しても、同じ懸念があります。

※一九七九年の戒厳令下で起こった反体制デモに対する言論弾圧「美麗島事件」は、国際世論の圧力により初めて国内外のマスメディアを入れた軍法裁判となるなど、これ以降の台湾の民主化に大きな影響を与えた。

——台湾は中国とは異なる価値観をますます強めていくことで、自身を守っているようにみえますがいかがですか。

タン　たしかに私たちは「人権」「自由」「民主」を重んじていますが、一方で国民健康保険証※を使うときは「社会主義」的な側面も出てきます。大切なのは、資本主義と社会主義の左右どちらかに偏《かたよ》るのではなく、バランスを取りながらイノベーションによって上へと向かう姿勢です。台湾最高峰の玉山《ユイシャン》の標高が一年に二、三センチずつ高くなっているのは、二つの海洋プレートがぶつかり合っている結果ですよね。同様に価値観においても、さまざまな考えが激しくぶつかってせめぎ合うことが、新しいイノベーションを生み出します。

台湾では、社会福祉と言論の自由の両方を享受《きょうじゅ》することができます。台湾が更に高みに行けばゆくほど、中国はよりいっそう不安を抱くことになるのでしょうが。

※国民健康保険証：台湾では一九九五年より、当時の総統だった李登輝の下で全民健康保険制度が施行されている。

李登輝氏から学んだ「公」の精神

――元台湾総統の李登輝《りとうき》氏について伺いたく思います。李登輝さんは、台湾に民主主義を根付かせるために多大な貢献をした人物の一人だと思われますが、タンさんは李登輝さんについてはどのような印象をお持ちでしょうか。

タン　はい。彼は一人の人間の在り方をみせてくれたし、私自身、そこから大いに学びたいと願う一人です。

李登輝さんは自身が万能だとは思っていなかったでしょう。だからこそ、人びとの要求や考え方を自分の心に進んで取り入れていきました。すると、心の中にはプライベートな欲望の余地がなくなります。もし心に一〇%の私的な欲望があるとすれば、皆の民主的な欲求のための空間は残り九〇%もあります。逆に、九〇%が私的な欲望であれば、他のものが入る余地はほとんどない。李登輝さんは自分の欲望をできるだけ抑え、皆が思いついた新しい考え方を大胆に取り入れたのです。

複雑で難解な理論や研究にも、彼はとても興味をもっていました。政治の世界から距離を置いてからも、特殊な品種の牛であるとか、まったく違う分野の素養を身につけて論文まで書いていた。ものすごい修身の精神ですね。

——李登輝さんは「公」の精神をお持ちだったのですね。

タン　李登輝さんには「我是不是我的我（私は私でない私である）」という有名な言葉があります。この場合の「私」とは、「私ではない」ほかの人から規定されます。ほかの人が「私」というパズルをどんどん埋めていき、最後のピースだけは彼自身がはめる。李登輝さんにとっての「私」とは、その「私ではない」全体に属しているのです。

皆それぞれが、自分のことをパズルのピースだと考えてみたらどうでしょうか。以前、私が日本の高校生にそう語りかけたとき、かれらは「以前の世代が起こしてきた戦争や経済成長、資源の浪費は、もし自分たちが放っておけば、被害を受けるのもまた未来の自分だ」との意識をもっていました。この意見は台湾の高校生と完全に一致している。サステナブル（持続可能）な目標をとりわけ重要視しているのが、日本と台湾の若者ですね。

――世代的には離れていますが、かつての李登輝さんと同じく、タンさんも「公」の職務に従事していますね。

タン　ポイントは世代ではありません。今日学習したことを活かして、明日に目が覚めたときに新しい角度で物事をみることを望むかどうかです。課題に直面したとき、昨日はそう思っていなかったけれど、今日は民主的な問題があってどうにもならないと気がつけば、「ごめんなさい、私が間違っていました。明日はもっとよくなるように努力します」と言えばよい。

そうした素直な精神をもつ人物として、李登輝さんのほかに、今回のコロナ対策で中心的な役割を担った陳時中衛生福利部長（厚生労働大臣に相当）が挙げられるでしょう。彼はまったくといっていいほど「面子《めんつ》」なんて考えていない。もし自分が間違っていたら即刻謝って、全力でまた明日に備えるのです。

人類はナショナリズムを克服できるのか

――あなたは自身を「持守的な無政府主義者」と称しています。どういう意味でしょうか（タン氏は、保守と〝持守〟という言葉を使い分けている。持守は、人がその主体性の拠《よ》り所となる「善い心」をいかに「持ち守る」かを論じたもので、朱子学に登場する）。

タン 私のいうアナーキスト（無政府主義者）の意味は、「私は人に強制しない」「他人も私に強制することはできない」という意味です。つまり、命令したりされたりせず、どちらも平等な話し合いや理解で公共の職務を進めていく状態を指します。

では、「持守」とは何か。台湾のように二〇種類の異なる国家言語、三〇～四〇種類の異なる文化が存在する社会では、人生でそれらすべてに触れることは不可能で、せいぜい一、二種類でしょう。しかし、経験を重ね、自らの文化領域を超えて他の文化に触れることで、あらためて自分が育ってきた過程を振り返ることができる。それが「文化に跨《また》がる」ことです。

ところが「自分の文化こそが正しい」と主張し、正統性や進歩のために他の文化を壊すならば、一見それは進んでいるようにみえても、他の文化からは「〝持守〟の価値がない」とみなされる。これはネット文化でも同じですが、他の文化を貶《おとし》めることなく一緒に進んでいく、それが私のいう「持守」です。いかなる年齢、文化、学問を修める人でも皆「公民之國」（市民の国）の一員で、そこでは何も破壊されることはありません。

――「公民之國」という言葉が出ましたが、各国の新型コロナ対応に差が出たこともあり、世界で「国家」の役割は大きくなっているようにみえます。ここで生じる、民族国家（ナショナリズム）と普遍的な価値観との相克《そうこく》についてどう考えますか。

タン　もしあなたが多くの文化をアイデンティティとしてもち、それらを越境しようとする姿勢があれば、「中華のみが文明である」といった排外主義的な態度は生じないでしょう。しかし、もし自分たちとは異なる文化を排除することで民族国家を建てたとすれば、それは非常に脆《もろ》い体制で、国民が容易に不安感を抱く国家になってしまいます。

私は『Au　オードリー・タン』（アイリス・チュウ、鄭仲嵐共著、文藝春秋）という本の台湾版で、ある言葉を載せています。日本語版には掲載されていないようなのでここで紹介すると、一つは、私の母親が手書きした四つの文字「中和萬華」。「野に咲き誇る花々とおなじく、あらゆる文化には正統も上下もない。それぞれの文化がお互いに敬い、まん中に新たな価値を創造しよう」という意味です。文化に跨り、越境していくプロセスこそが我々の共通定義であり、それこそが「公民之國」ですね。

多くの文化に跨ってコンセンサスが得られている状態ならば、何かしらの文化が排除されることはない。それが「中和萬華」や「公民之國」であり、これらの概念に向かって絶えず努力するなかで、ナショナリズムが生む負の側面は自然となくなっていくかもしれません。

――一方で現代社会では、監視カメラで国家に二十四時間監視されているという感覚があります。一方的に監視されるだけでなく、インタラクティブな創造に繋げることはできませんか？

タン　そうした創造の時代にすでに入っていますね。皆さんの携帯電話にはカメラがあり、ポッドキャスト（インターネット上で音声や動画のデータファイルを公開する方法の一つ）で録画し、リアルタイムで発信することもできる。とりわけ台湾でインターネットコミュニケーションの多様化が加速しているのは、「四九九吃到飽」（四九九元の固定料金で外出先でも無制限にインターネット通信ができる。〝吃到飽〟は食べ放題の意）のおかげでしょう。

私が好きな『老子』の言葉

――日本との関わりについて伺います。タンさんは日本にとても親しみがあるようにみえますが、特別な思いがあるのでしょうか。

タン　私の父方の祖母は、日本統治時代の台湾で「日本人」として生まれました。その父親は警察官で、家はいわゆる「国語家庭（一九三七年の日中戦争以降の台湾における皇民化政策の一つ。台湾人が日本語を学ぶことを奨励する制度で、認定されれば優遇措置があった）」でした。祖母の祖父に当たる人物は中西部の彰化《しょうか》県鹿港《ろっこう》に学問所を開いており、祖母は日本の統治下で育ちながら、一方では自身の文化も培っていた。彼女はまさしく、「文化の越境者」としての役割を果たした一人だといえるでしょう。だから私自身は日本語が話せなくとも、日本文化には馴染《なじ》みがあります。

当時の多くの台湾人と同じように、日本語と台湾語の双方を話していた祖母は、その後もずっと日本が好きで、よく観光に訪れていました。祖父を台湾に置いてね（笑）。なぜなら祖父は（戦後に国民党政府と共に台湾へと移民してきた）四川出身者で、日中戦争で戦った日本に対して良い印象をもっていなかったからです。

第二次世界大戦終結後に祖父母が結婚するとき、祖母は親戚から猛反対を受けたそうです。一九四七年の二・二八事件（当時の国民党政府による市民への武力弾圧事件。その後三十八年に及ぶ戒厳令の引き金となり、戦後の台湾社会に大きな影響をもたらした）から幾年後の話でしたから、戦前から台湾に住んでいた台湾人と戦後に中国から渡ってきた人びとのあいだには非常に深い溝《みぞ》があったためです。そうした台湾独特の事情もあり、日本に対する見方も両極端な時代でした。

その後は日本への認識がプラスに大きく変化していきます。台湾は民主化の過程で日本から多くの協力を得てきたし、現代では「ドラえもん」をはじめ「新世紀エヴァンゲリオン」や「攻殻機動隊」といったアニメ文化を通しても、日本に親しむようになった。ほかにも寿司やタピオカミルクティなど、多様な文化を通して互いに親しみ合うのはじつに素敵ですよね。

——日本の次代を担う人びとが、あなたのように自由な精神をもつために大切にするべきことは何でしょうか。

タン　何よりも大切なことは、一日八時間寝ることですね（笑）。

――最後に、日本の読者に向けてメッセージを。

タン　今回お話しした熟議民主主義とは、焦って何かを決めることではありません。若者たちを含め、参加者全員でさまざまな可能性を探っていくことが重要です。

老子の『道徳経』一一章に「故有之以為利、無之以為用」（故《ゆえ》に有《ゆう》の以《もつ》て利《り》を為《な》すは、無《む》の以《もつ》て用《よう》を為《な》せばなり）というテキストがあるのですが、私は英語でこのように翻訳しました。

「So the profit in what is, is in the use of what isn't」

器のなかに何もない空間があるから、それは器としての役割を果たします。部屋のなかに何もない空間があるから、部屋は機能します。私たちがいまこんなにもエネルギーを注いで努力しているのは、限定された課題のためではない。可能性が起こりうる空間を少しでも広く社会に創り出していくためなのです。

第二章

最大の危機はユートピア

——人類と中国の未来

劉 慈欣

取材・構成　蓋《がい》 暁星《ぎようせい》
（國學院大學非常勤講師）

りゅう・じきん　Cixin Liu　一九六三年、山西省陽泉生まれ。発電所でエンジニアとして働くかたわら、SF短篇を執筆。『三体』が、二〇〇六年から中国のSF雑誌《科幻世界》に連載され、二〇〇八年に単行本として刊行されると、人気が爆発。〈三体〉三部作（『三体』『黒暗森林』『死神永生』）は、全世界で二九〇〇万部以上を売り上げた。中国のみならず世界的にも評価され、二〇一四年にはケン・リュウ訳の英訳版が刊行。二〇一五年、翻訳書として、またアジア人作家として初めてSF最大の賞であるヒューゴー賞を受賞。『三体III　死神永生』は二〇一七年度のローカス賞SF長編部門を受賞。『三体』邦訳は二〇一九年から二〇二一年にかけて早川書房から刊行された。

中国の強みと弱み

――（蓋）劉慈欣さんは『三体』で、全人類を襲《おそ》う未曽有《みぞう》の危機をテーマにし、「現代人は異星人の襲撃という事態も想像し、備えておかなければならない」と仰っています。しかし一方で、危機を救う理論が生み出され、光速移動が実現するなど、人類が危機に対処する「希望」の側面を描かれました。

劉さんに是非、いま人類に対してどのような希望をもっていらっしゃるか、そして、人類の希望のために、中国、あるいは東アジアがどのような貢献ができるのか、ご見解を伺いたく思います。

まず、中国の科学技術の進展に対して、どのような期待をされているのでしょうか。中国は、人類に対してどのような貢献をすることが望ましいでしょうか。

劉　近年、中国の科学技術と経済の間は相乗効果を生み出し、大きな発展を遂げました。注目に値する新しい兆《きざ》しも次々に生まれています。このような成果が生まれているのは、国が基礎科学の研究に力を入れるようになったためでしょう。

これまでは経済の成長に直接効果が表れる応用研究が重要視されて来ましたが、最近は基礎研究への資金投入が明らかに増えてきました。中国の基礎研究への国家予算は、二〇二〇年には一五〇四億元（約二兆五〇一〇億円）に上っています。ＦＡＳＴ電波望遠鏡（五〇〇メートル球面電波望遠鏡）、ダークマター探査衛星、月と火星への探査機の打ち上げなどの、基礎研究分野の巨大プロジェクトにも成功しました。これらのプロジェクトには巨大な資金が必要とされますが、短期間での経済効果は現れません。これは中国が、将来的な長期目標を据えて基礎研究に傾注している証《あかし》です。

中国の経済成長はまだ続いていますが、私は経済成長で得られた資金をもっと基礎科学研究に投入してほしいと考えています。実用主義を超えて、宇宙や自然の深層の神秘を探索・研究することで、大国の一つとして人類への貢献を果たすべきだと思います。同時に、基礎研究に力を入れることは、中国の長期的な発展の支えになるでしょう。

――中国という国家の強みと弱みを、どのように考えていますか。

劉　いまの中国の強みは、自らに相応《ふさわ》しい発展の道を見出した、あるいは、見出しつつある点だと思います。西洋のパターン、あるいは他のどの国とも異なった、中国独自のものであるといえるでしょう。悠久たる歴史を積み重ねた大国が、現代化と工業化を成し遂げ、急速な発展を遂げました。

特に、歴史上常に存在し続けた「飢餓」が消滅しつつあることが注目に値すべきことでしょう。私のような、二十世紀六〇年代生まれで、少年時代貧困を肌身で味わった人間にとっては、この功績は本当に偉大なことです。

一方、明らかな弱点もあります。今後、中国が向かう道には様々な危険と落とし穴が潜んでおり、岐路において誤らずに的確な選択をすることが求められます。中国には、試行錯誤をしている余裕はありません。アメリカであれば何か一つ大きな失敗が起こったとしても、依然として大国の地位は変わらないでしょうが、中国の場合は一つのミスが致命傷となり、発展の道が閉ざされるかもしれません。

中国が抱えている弱点の中で、最も心配されているのは創造力の欠如です。我々はＩＴや宇宙探査、原子力、生物技術、新エネルギーなどの分野で欧米との距離を縮めてきましたが、これらの分野において、中国人が「無」から生み出したものは一つもないのです。中国は1を100にすることはできますが、0から1を生み出すことはできていない。将来、創造力の欠如が生み出す限界がますます明確になり、深刻な行き詰まりを迎える可能性もある。この弱点を克服できなければ、中国の発展は越えがたいガラスの天井の下にとどまるでしょう。

どうすれば「中国の創造力の欠如」という問題を解決できるのでしょうか。この問題の背景には歴史的、文化的なファクターが複雑に絡み合っているでしょうから、一朝一夕に答えを出すことはできません。ただ一つ言えることは、教育は重要なファクターになるでしょう。現在の中国の受験を重視する教育は創造力を培《つちか》うことに向いていません。ただ、一口に教育改革といってもその方向性を定めるだけでも議論百出でしょうから、かなり時間がかかるでしょう。

人類最大の危機は「ユートピア」

――いま、劉さんが最も憂慮している人類の危機は何でしょうか。

劉　おかしな回答かもしれませんが、私が一番危惧しているのは人類の理想郷（ユートピア）の実現です。ユートピアでは、多くの人が仕事をしなくても豊かな生活が保証されます。まだ遠い未来の話のように思えますが、微《かす》かな兆《きざ》しがすでに見えて来ました。人工知能は様々な場面で人間の代わりに仕事をこなし、ドイツと北欧の一部の国はベーシック・インカムの社会実験が始まったようです。条件なしで政府が全ての国民に生活に必要な基本資金を提供する制度ですね。将来的には、マルクスが構想していた共産主義社会は、彼にとって予想外の展開で実現するかもしれません。

人類全体の立場から見ると、貧困、災難、戦争は恐れることではありません。人類の長い歴史において、無数の尊い犠牲を経て、人類は様々な知恵を身につけ、輝く現代文明を創り出したのです。しかし、労働と努力を果たすことなく豊かな生活ができる社会が、巨大な落とし穴になりかねません。

有名な、「ネズミのユートピア」の実験はご存じでしょうか。一九六八年、アメリカの動物行動学者ジョン・B・カルフーンがある穀倉の中に、一・四m×二・七mの飼育ケージを設置し、ネズミのユートピア世界を作り上げました。十分な量の食物、水と巣作りに必要な材料を与え続け、さらに伝染病に感染しないよう、飼育ケージの清掃も定期的に行ないました。

カルフーンは最初、このケージに四対のネズミのつがいを入れたのですが、理想的な環境のもとでネズミの数は瞬く間に激増し、三百日ほど後に六〇〇匹に達しました。しかしその後増加のペースは鈍り、六百日後に二二〇〇匹に達したところでピークを迎え、それ以上は減少の一途をたどりました。

この三百日目から六百日目に到る間、異常、あるいは病的な行動を示すネズミが続出しました。離乳がまだ終わっていないのに、母ネズミが子ネズミの世話をしなくなる、異性との性交が減少する、若いネズミ同士が頻繁に喧嘩する、などなど……。コミュニケーション活動が減少する代わりに攻撃性が強まり、繁殖能力も急激に下がったのです。やがて、実験を始めてから五年後に、最後の一匹が亡くなり、「ネズミのユートピア」は滅亡しました。

生存のための労働に時間を費やす必要がなくなれば、もっと多くの時間を、研究や芸術などの創造性のある活動に振り向けることができるのにと思っている人は少なくないでしょう。しかし生物の本性を考えると、そうした想像はただの美しい夢です。多くの人にとって、裕福と安逸は精神の麻痺につながります。古代ローマ帝国の末期にも、このような「精神の麻痺」が見られたのではないでしょうか。

そしてすでに、このユートピアに似た状況が現出しています。インターネットやＳＮＳが、以前の人々は想像すらできなかった享楽的な疑似世界を生み出しています。こんな世界があると、人々は生まれてから死ぬまで自分の部屋から一歩も出る必要がなくなります。通信技術と人工知能が作った擬似世界は、全ての欲求を満足させてくれます。

かつてある学者が、アメリカの行動原理の深奥にあるのは、絶えず新しい国境地帯を開拓しようとするフロンティアスピリットだと指摘していました。人類の文明も同様です。重要なのは、新しい世界を探索し、開拓することを目指す向上心です。その情熱が将来の人類文明の発展にとって、最も大きなポイントになります。

人類の危機を描いたSF

――人類が自らの危機と希望を考える際、SFはどのような寄与ができますでしょうか。「人類の危機」を描いたSFの代表例を挙げて、その魅力、構想力について論じていただけないでしょうか。

劉　SFは科学技術を背景に、文学という手法を用いて行なわれる思想実験だと私は思っています。豊かな想像力によって斬新なアイデアが提示されており、人類が遭遇する可能性のある危機を提示することで、「心の準備」を促す面があります。人類の危機はSF小説によく見られるテーマで、ほとんどの作品は多かれ少なかれこのテーマに触れています。印象深い作品をいくつか取り上げると、以下の通りになります。

まず、アイザック・アシモフの『ファウンデーション』シリーズです。銀河系の人類文明が大きな衰退を迎えるに際し、一部の学者たちが低迷期を短縮させることを試みる、というストーリーです。小説の中で、数学をモデルにして歴史の展開を予想する方法として「心理歴史学」というキーワードが提示されましたが、歴史の複雑性と不確定性を数学的に予測することはかなわず、「心理歴史学」は結局機能しませんでした。

次に『日本沈没』、小松左京著。日本列島が海に沈没するという話です。科学的な裏付けが厳密に行なわれており、驚くほどリアリティーのある小説です。世界各地に日本人が逃げ出すことになるのですが、その状況が克明に記されており、読者も自ずと日本が沈没するという世界を頭の中に想像し、未曽有の危機に思いを馳せることになります。小松左京の、一九七〇年代の日本人に対する警鐘であり、私は彼の思いに深く共鳴を覚えました。

ウイルスを扱った作品も取り上げましょう。『アンドロメダ病原体』、マイケル・クライトン著。宇宙からやってきたウイルスが地球上で蔓延《まんえん》し、ある小さい都市が「死の街」になってしまいます。研究の結果、このウイルスが物理学的なエネルギーそのものを取り込んで増殖し、既存の手段で消滅させることはできないということが判明しました。小説の中のパンデミックの描写は秀逸で、非常にハラハラします。ウイルスの起源とそのメカニズムの分析も読者を夢中にさせます。現在の世界中における新型コロナウイルスの感染状況を鑑《かんが》みると、この四十年前の小説は本当にぞっとしますね。

最後に、『一九八四年』、ジョージ・オーウェル著。これは近未来の強権社会の悪夢を描くディストピアSF小説です。強権社会の構造に対する想像力は非常に印象深いです。小説の中の世界は暗澹《あんたん》たるものでとても重苦しい。小説の中の強権統治システムは鉄のように堅固で、打破される可能性はほぼありません。小説が描いた時代は既に過去になり、ある評論家は、現実の一九八四年が小説の『一九八四年』にならなかった一因はこの小説が存在したこと、と述べました。

『日本沈没』から受けた衝撃と影響

——『日本沈没』を挙げてくださいましたが、劉さんはこの小説から影響を受けたそうですね。

劉　小松左京さんの作品は、かなり早い段階で中国語に翻訳されていました。日本の方は驚くかもしれませんが、『日本沈没』（一九七三年）は文化大革命時代には翻訳されていましたよ。当時、資本主義を批判するための素材として、中国ではいろいろな国の作品が「反面教師」として翻訳されていました。中国語版『日本沈没』の扉には、「偉大な日本人民は永遠に沈没しない」という、訳者が加えたであろう一文がありました。

ただし、私が初めて小松さんの作品に触れたのは映画でした。八〇年代、『日本沈没』の映画が中国で上映されて、非常に衝撃を受けたのです。この映画はSFにより日本民族の潜在意識を見事に表現していました。つまりは「自分は孤島に住んでいる」という観念です。この危機感は終始、日本の歴史に伴ってきたものです。『日本沈没』はそうした潜在意識と危機感を描いており、私にSFの可能性を示してくれた作品だったのです。

そうして私は、中国版の『日本沈没』を書こうと決めました。しかし何年考えても良い構想が思い浮かびませんでした。中国人と日本人の潜在意識は違いますし、大陸ですから中国だけ沈没させることはできない。アジア大陸の分裂も考えましたが、どうも面白くない。最後に、中国人にとって『日本沈没』と同じほどの衝撃は何かと考えて辿り着いたのが宇宙人との遭遇でした。『三体』の執筆が『日本沈没』から影響を受けているのは明白で、読んでいただければ、構造やテーマが『日本沈没』に非常に似ていることがわかると思います。

『日本沈没』は日本SFを象徴する作品とは異なりますね。筒井康隆さん、星新一さんの作品の雰囲気とは違います。小松さんのほかの作品、たとえば『果《は》てしなき流れの果に』も私に大きな影響を与えてくれましたが、それも『日本沈没』とは何か違う。私には日本語がわからず翻訳版を読むしかないので、一〇〇％は理解できていないかもしれませんが。

未知なる脅威との遭遇――コロナ禍との類似性

――『三体』も危機に直面する人類の姿を描いた作品です。地球文明よりも遥《はる》かに進化している三体人（宇宙人）の「三体文明」を通して、劉さんが描こうとしたものは何でしょうか。

劉　人類は誕生してから現在に至るまで、同等あるいはそれ以上の知性をもつ「他者（other）」と出逢ったことがありません。しかし、これから先はわからない。宇宙人かもしれないし、人工知能かもしれない。知性をもつ新種生物が地球上に新しく誕生する可能性だってあるでしょう。『三体』は、地球文明がそうした存在に遭遇したら、いかなる衝撃を受けるのかという話です。

――『三体』では「地球人を虫けら扱いする三体人は、どうやら、ひとつの事実を忘れちまってるらしい。すなわち、虫けらはいままで一度も敗北したことがないって事実をな」との台詞《せりふ》があります。人類の可能性を示唆《しさ》する傍《かたわ》ら、現実社会のわれわれはたしかに虫に勝《まさ》ると思い込んでいる傲慢《ごうまん》さについて考えさせられました。

劉　もしも他の星の生物が、数千万光年の距離を超えて地球に辿り着いたら、その星の文明はわれわれよりも遥かに優れていることを意味します。彼らと私たちのあいだにある差は人間と虫の差と同等以上です。

その一方で、それぞれの文明ごとに生物進化の様相は異なり、どんな生物も自分の生存戦略や強みをもっている。そこで私は「虫」という言葉を使いました。虫の進化の程度は人間とかなり差がありますが、彼らがわれわれに勝っている点もあります。事実として、いまの人類にはバッタの大群の襲来を防ぐ手立てはないし、依然として莫大な数の虫が存在しています。

そう考えれば人類だって、遥かに進んだ文明をもつ宇宙人に対して、何らかの強みをもっているはずです。大事なのは他の文明と出逢ったとき、自らの長所を認識し、それを生き延びる手段として活用することです。その意味で、引用していただいた一文は人類の傲慢さを伝えようとしたわけではありません。

――「未知なる脅威との遭遇」という意味では、『三体』で描かれた世界と、現在の新型コロナウイルスの感染拡大に対して人類が置かれている状況は共通しています。人類はコロナ禍を克服できるでしょうか。

劉　東西冷戦の終結から現在に至るまで、局地的な紛争はあったにせよ、世界は概《おおむ》ね平和で経済も発展し続けてきました。いまの若者は当然だと考えているかもしれませんが、人類史に鑑みれば稀《まれ》です。三十年にわたる長い平和は、われわれに錯覚を与えています。

しかし、歴史とは決して直線状には発展しないものです。世界レベルで想定外ないしは未曾有の事件が起こり、人類の歴史の方向を変えることだってある。新型コロナはその一例と考えても構いませんが、歴史全体からみれば、それほど意外なことではないかもしれない。

歴史上、世界的な伝染病の流行は幾度となく起こりました。コロナ禍よりも悲惨《ひさん》なパンデミックもあった。歴史の発展はさまざまな変事により、しばしば中断あるいは阻害されてきました。だから、決して直線状にはならないと申し上げたのです。将来にはさらに驚くべき事象が発生するかもしれず、人類が一度も経験していない危機が訪れる可能性もある。宇宙人が一万年後に来るか、明日来るか。誰にもわからないのです。

突如として発生した想定外の事象としては、たしかにコロナショックは『三体』で描いた宇宙人との遭遇と相似しています。国家も国際社会も個人も、求められるのは歴史を冷静に認識し、心理面で準備することとです。

――『三体』とコロナ禍の共通点を挙げるならば、未知の脅威を前にパニックに陥《おちい》る人間自身が危機を助長している点ではないでしょうか。

劉　人間とはじつに複雑で、一言では表現し尽くせない存在です。歴史に即していえば、人類はつねに理性的ではなく「狂った」状態にある。ある統計によれば、人類全体の歴史で「完全に平和な日」はほんの一瞬しかないといいます。政治的な対立、資源の奪い合い、際限のない自然開発による生態環境の破壊。人間の自画像はたしかに美しくない。

ですが別の角度からみると人類の文明は強い適応能力を備えています。智恵を振り絞り、努力を重ねて、苛酷《かこく》な環境を乗り越えるとともに、自身の欠点を改善してきました。人間はその歩みのなかで、科学革命や工業革命を経て現代文明をつくり上げました。これは疑いようのない事実です。

卑近《ひきん》な例でいえば、前世紀にアメリカ・西ヨーロッパとソ連が対峙《たいじ》したことは、かなり狂った事態でした。双方のコントロールが正常に利《き》かず、もしかしたら核戦争が起こり、人類の文明が千年前に引き戻されていたかもしれませんでした。しかし最終的に人類は理性と政治の智恵により最悪の事態は回避し、「三十年の黄金時代」を迎えました。人間の複雑さがなせる業《わざ》です。

われわれが知る宇宙にはいまだに他の文明が現れていません。ゆえに人類を評価するうえでの比較対象は存在せず、公正に判断するのは難しい。とはいえ、私個人は人類の未来に対して楽観的です。人類が自分の暗い側面を克服する可能性は十分にある。これからも、一所懸命に明るい未来をつくり上げていくと信じています。

一つの社会体制を世界中が採用する必要はない

――コロナ禍では、自由と民主主義の在り方も論じられています。『三体』で描かれた「三体文明」では、「民主的で自由なタイプの文明が、もっとも脆弱《ぜいじゃく》で短命であった」と紹介されています。

劉　まず大前提として、あらゆる社会体制に対して簡単に善悪の評価を下すべきではないでしょう。自然環境や経済状況、科学技術の面から総合的に判断すべきだと思います。たとえばアメリカは自由民主主義国家ですが、九・一一テロのような事件が万に一つでも一〇回続けて起きれば、専制主義国家になる確率は一〇〇%だと思います。それはある意味では自然なことで、どんな社会にもいえることです。平和かつ繁栄していればこそ、相応の自由民主体制を築けるのです。一方、いきなり巨大な自然災害に襲われれば権力が集中する体制になりやすい。これは深い理論や善悪の話ではなく、「常識」です。

問題は、多くの人がこの事実を常識として認識できておらず、違う体制の良し悪しを絶対化してしまうことです。絶対不変の信条をもち、それに徒《いたずら》に固執《こしつ》すれば恐ろしい結果を招きかねない。その意味で、人間社会は多様性を認めるべきです。それぞれの社会体制は各国の歴史、文化、民族性から生まれたものです。ある一つの体制を世界中が採用する必要はないでしょう。

地球の生態系も同じで、もしもすべての生命が同じ種であれば、一度の大きな災難で全滅するかもしれない。六千万年前の恐竜の絶滅がそうでした。当時、地球上の生物がすべて恐竜と同じく巨大な体形の持ち主であれば、現在のような地球はなかったはずです。幸い地球生命は多種多様でしたから、一部の生物が生き延びて人類の誕生にも繋がりました。多様性を認めず、他の社会体制はすべて間違っていると糾弾《きゅうだん》するのは非科学的・非理性的です。大事なのは、各国が自分たちに相応しい仕組みをその都度考えて、互いに尊重し合うことです。

――コロナ禍を経て、人類は新時代を迎えるでしょうか。それとも元通りの世界が訪れるのでしょうか。

劉　新型コロナは世界全体に様々な影響を与えています。ですが各国メディアをみていると、しばしば実態を誇張している面も見受けられます。将来、さらに大規模な災難が訪れる可能性もあります。新型コロナの影響は人類にとって決定的なものではありません。

感染が落ち着いたころ、もしもほかの想定外の出来事が起きていなければ、人類は平和な「三十年の黄金時代」を継続していくでしょう。しかし、長い目でみれば先ほどもお話ししたように、人類はいずれまた似たような災難に遭遇すると思います。それは伝染病とはかぎらず、他の危機の可能性もある。そのときには人類史の方向が変わるかもしれませんが、新型コロナはそこまでの危機ではありません。世界全体の政治経済の体制や文化構造に変化を及ぼすほどではなく、来年には東京オリンピック・パラリンピックが開催され、徐々に元通りの生活に戻ると思います（編集部注　このインタビューは二〇二〇年九月に行なった）。

個人か、合議制か

――『三体』は決断の難しさについて描いた物語でもありますが、劉さんが決断を下すリーダーに求める資質は何でしょうか。

劉　リーダーが持つべき素質というのはとても複雑ですね。平時のリーダーと危機におけるリーダーが備えるべき素質はかなり異なります。『三体』が描いたのは危機におけるリーダーです。危機におけるリーダーたちには以下のような素質が必要となります。

まず、情報が足りない、かつ混乱している状況で正しい判断を下すことです。重大な危機に直面する際、間違った判断は致命的です。しかし、そのような状況では必要な情報が入手できないということが往々にして起こります。真否が不明な様々な情報が飛び交っており、非常にミスが起こりやすい。こういう時のリーダーは直感を頼りに正確な判断をしなければなりません。これは非常に難しいです。豊富な経験が求められます。

一方、危険な状況になると、個人にせよ、集団にせよ、大体精神的に追い詰められて、非常に情緒不安定になります。リーダーとしては周囲の混乱に影響を受けず、恐怖や焦りを避け、冷静且つ理性的な心持ちを保つ必要があります。そのためには、相当強靱な精神力を発揮しなければなりません。

二つ目、犠牲を強《し》いる判断を行なう覚悟も求められます。重大な危機や災害が訪れたとき、財産や人命の損失は避けられません。リーダーの責任は損失を最小限にして危機を乗り越えることです。そのためには、より深刻な結果になることを避けるため、ある程度の犠牲を払う、という覚悟が必要になります。人間の命が脅かされるような決断を下すのは非常に難しいことです。ですが、リーダーにはこのような決心が必要です。

残酷なことがもう一つあります。歴史は二度と繰り返すことがないため、危機の後、リーダーの決断が正しかったかどうかを評価することは非常に難しいことです。結局、重大なミスを犯したと見なされ、歴史の罪人として扱われるかもしれません。歴史の評価については、リーダーもある程度の覚悟を持つ必要があります。

三つ目、伝統的なモラルと価値観を突き破る勇気もリーダーとしての重要な素質だと思います。現在我々が持っている道徳面の思想体系と価値観は、通常の平和な時期に作り上げられたものです。重大な危機と災害が発生する際には、適さない可能性もある。むしろ災害を乗り越えるに当たって、障害になることも多々あることで、破壊的な結果に導く可能性もあります。こういうとき、リーダーが明確な目標を定め、人々を指導して災害を乗り越えなければなりません。その目標とモラルあるいは従来の価値観に齟齬《そご》が生じる場合、それを突き破る手腕が求められます。

さらに、非常時に相応しい道徳の基準と価値観を改めて作る必要があります。これは非常に難しいことです。重い責任感を持ち、周囲、特に自分自身のモラル意識を克服しなければなりません。先述したように、災害が過ぎ去った後、人々の厳しい非難を受ける覚悟も必要です。

――『三体』には、危機を乗り越える方法の考究、あるいは判断を個人に委ねる場面が登場します。劉さんは危機への対処にあたって、合議制よりも個人の思考力、判断力を期待されますでしょうか。「合議制」の限界についてどのように考えていらっしゃるか、ご意見を伺いたく思います。

劉　これはとても複雑な問題ですね。まず、よく言われるのが「真理は少数にあり」ということ。歴史を鑑みると、危機的な時期において、正確な決断は大体少数、あるいは一人で下されています。そして多くの場合、彼、彼らが下した決断は理に適わないものとされてしまう。多くの人が理解、納得できないのです。

もちろん、どんなに優れたリーダーであっても、周囲から影響を受けることは免れないし、判断ミスや間違った主張を行なうことも当然あります。

一方で合議制はリーダーが一人で決断をする場合に比べると効率が悪く、しかも最終的な決断は様々な意見を折衷《せっちゅう》したものになり、戦略上望ましくない結果を導くこともあります。

したがって、危機における「個人か合議制か」の問題は永遠の難題です。なるべく個人と合議のバランスを保つしかないでしょう。時代によって違う選択肢が現れますが、将来的には合議制の方が優勢になる可能性が高いでしょう。

鄧小平の決断は画期的だった

――歴史上、「これは見事な判断、決断だった」と思われる事例はありますでしょうか。逆に、この判断は失敗だったと思われる事例についてはいかがでしょうか。

劉　歴史上下された決断の中には、決断が下された当時はそれほど重要視されなかったが、後世から見ると実は歴史をがらりと変えるものだった、というものがあります。例えば一四九二年、スペインの女王が、コロンブスの西廻りでアジアを目指す航海を支持する決断を下しました。さらに彼女は自分のアクセサリーを惜しまずに売却し、資金を提供しました。みなさんご存じの通り、彼女のこの決断は世界史を一変させました。

中国の場合、一九九〇年代の初期、鄧小平《とうしょうへい》をはじめとする中国のリーダーたちが改革開放の政策を打ち出したことは画期的でした。現在から見ると、彼らの方針転換は当たり前のことだと思われるかもしれませんが、当時の国際情勢と中国国内の政治状況からいうと、この決断には相当な遠望と勇気が必要でした。彼らの決断のお陰で、中国は新しい時代を迎えることができたのです。

歴史上、間違った決断を下す例も数多あります。明らかなミスをした事例として、ナチスドイツのソ連攻撃、大日本帝国の真珠湾攻撃が挙げられます。かなり深刻な戦略ミスです。これらの決断は巨大な欠陥を内包した政策決定機関が、当時の国際情勢に対する間違った分析と予測に基づいて下したものでした。

――鄧小平の改革開放政策を評価されましたが、それに関連したことを伺います。『三体Ⅲ』に、「明日はもっとよくなる」という信念についての言及がありますね。劉さんもそのような信念をお持ちでしょうか。

劉　私のような二十世紀六〇年代生まれの中国人は人類歴史上で最も幸運な世代かもしれません。なぜなら、私たちの世代が生涯経験した生活の変化は、あまりにも劇的だったからです。自分自身だけではなく、周囲の世界も常に激しい変化が起こり、しかも多くの変化はいい方向に向かいました。これは歴史上でも珍しいことで、この経験が私たちの世代に決定的な影響を与えました。私は「明日はきっとよくなる」ことを固く信じています。

日本と東アジア

――日本や東アジアに関することを伺いたく思います。劉さんにとって、日本とはどのような国でしょうか?

劉 アメリカやロシア、イギリスなどの国だったら、私は一言二言でその印象を述べることができますが、日本は難しい。日本に対する印象はとても複雑です。

個人的な感覚ですが、日本という国は、一見矛盾しているように見えることや、全く異質に思えるものが混じっていたとしても、全体的にみれば実は調和が取れている、という印象を持ちます。他の民族なら、決して融合できない文化でも、日本はなんでも包み込む。他の国と比べると、日本文化は人間と自然に対して、非常に多感であり、繊細な感覚を持っていると思います。

若い時の印象は、日本は奇跡的に経済を飛躍させた国で、日本人は仕事に没頭する勤勉な人たち、というイメージでした。この印象は今も基本的には変わりませんが、現在の日本は私の若い頃からは少し変化したようです。現在の日本社会、特に若い世代は、落ち着いてゆったりしているような感じですね。

――仮に、欧米主導の価値観や思想が限界を迎えており、東アジアから新しい価値観や思想を世界に提供できるとしたら、どのようなものが考えられますでしょうか。

劉　欧米諸国の価値観と思想は確かにピークを過ぎたと思いますが、限界を迎えたとは思いません。依然として世界の主流の地位にいます。東洋文明における、人間と自然の協和を重視する姿勢、「天人合一」の思想、謙遜や平穏、控えめな生活態度を大切にする価値観が今の世界に役に立つのではないか、資源の濫用や環境危機に直面する世界に新しい道を導くのではないかと考えている人もいますが、これは実は「片思い」であり、一つの願望だと思います。長い目で見ると、人類文明の未来への進歩と発展のためには、西洋文明に特徴的な進取と開拓の精神を捨て去ることはできないでしょう。

もし将来、東アジアが本当に人類文明を新たな段階に導くような価値観と思想体系を提供することができるとするなら、それはおそらく進取の精神に満ちているもので、地球上あるいは宇宙で新しい領域を開拓する勇気と希望を与えるものに違いないでしょう。ただ、今の段階はまだそのような兆しはありません。

中国人の立場ではなく、地球人の立場で書いている

――劉さんの作品は世界中で読まれています。その要因は何だと思いますか。

劉　「芸術は国境を越える」という言葉がありますね。それはたしかに事実ですが、完全に言い切れるかは微妙です。私は国境を越えられない芸術もあると考えていて、たとえば中国の古典的な漢詩は、外国語に翻訳するとその内在的な美しさは損《そこ》なわれてしまう。

ですが、ＳＦ小説はたしかに国境を越えられます。伝統小説と比べると、ＳＦ小説のキャラクターは特定の国や民族の人間ではなく、地球上の人類の一人として登場します。描かれる危機はほとんど人類全体の問題で、国家の範疇《はんちゅう》を超えるものです。私の小説は英語圏や日本語圏の読者によく読まれていますが、私は中国人の立場ではなく、地球人の立場で書いています。だから言語や背景が違う読者も受け入れてくれるのだと思うのです。

――『三体』の読者の感想のうち、劉さんが特にうれしかったものは、どのようなものでしょうか。

劉　二十世紀のＳＦ小説の黄金時代と比べると、今は西洋、特にアメリカのＳＦ文学はが

らりと変わりました。ＳＦ作家の視線は宇宙から人類自身の問題に移り、ＳＦ小説も昔のような広い視野とロマンチックな心情を失っています。しかし、『三体』三部作が多くの読者から支持を頂いたことは、中国でも、日本やアメリカでも、ＳＦファンが依然として宇宙、さらに人間と宇宙の関係を描く作品への興味を失っていないことを示しています。無限の宇宙への想像はまだまだ多くの共鳴を引き起こすことができるようです。

――今後、どのような作品を生み出したいですか。

劉　もちろん努力をしていますが、なかなか難しいです（笑）。ＳＦ小説は構想やアイデアに時間がかかるものです。目標としては、まだ書いていないテーマを試してみたいですね。「創作のための創作」ではなく、毎回読者に強烈な感銘を与えたい。

中国のＳＦと日本は深い繋がりがあります。魯迅《ろじん》は日本留学時代、ジュール・ベルヌの作品の日本語版を、中国語に翻訳して紹介しました。日本のＳＦの歴史はかなり長く、いまではＳＦアニメも盛んですね。日本にたくさんのＳＦファンがいて、私の作品も支持してくれる事実は率直に嬉しいです。これからも、私の小説を通して読書の楽しさを味わい、一人の中国人ＳＦ作家が想像する人類の未来や宇宙世界を分かち合っていただけることを心から願っています。

第三章

日本のカルチャーが造った道路を、韓流が駆け抜けていく
――エンターテインメントの未来

ホン・ソクキョン

取材・構成　筧《かけひ》 真帆《まほ》
（日韓音楽コミュニケーター）

ソウル大学校言論情報学科教授。韓国を代表する韓流研究者。一九八七年ソウル大学校仏文学科卒業、九五年にフランスのグルノーブル大学にて言論情報学の博士号を取得。韓国放送委員会の首席研究員を経て、二〇〇〇～一三年、フランスのボルドー第三大学で情報通信科の副教授を務める。二〇一三年に帰国しソウル大学校言論情報学科教授に就任。博士号の取得と大学勤務で約一八年間フランスに在住した経験と視点を持ち、韓流現象が海外で浸透する過程や欧米中心の既存ポップカルチャーとK－POPとの違い等を様々なメディアで発表。主著に『グローバル化とデジタル文化時代の韓流』（二〇一三年）、『BTS オン・ザ・ロード』（二〇二〇年）、『東アジアのポップカルチャーの国際的融合』（二〇二一年）など。

フランスで直に触れた韓流の波

――（寛）かつてアジアと西洋のカルチャーには大きな隔たりがあり、欧米でアジアの存在感を示すことは、相当レアケースとされてきました。それがこの数年の間、グラミー賞のノミネートに辿り着いたBTSの快進撃や、映画『パラサイト　半地下の家族』のアカデミー賞の受賞など、韓国エンターテインメントは世界中でファンを獲得しています。その要因について、BTS現象について学術的分析を行い、『BTS　オン・ザ・ロード』（邦訳・玄光社刊、二〇二一年）を著したホン・ソクキョン教授にお話を伺いたく思います。

二〇一三年に、ホン教授は『グローバル化とデジタル文化時代の韓流』を執筆されましたが、海外において韓流の胎動を感じ始めた時期やきっかけは何でしょうか。また言論情報学がご専門のホン教授が、韓流を研究対象にされた理由もお伺いしたいです。

ホン　私は言論情報学の研究者として、フランスのボルドー大学で二〇〇〇～二〇一三年まで教壇に立っていました。当初、韓流は研究対象ではなかったのですが、二〇〇〇年前後に東アジアで韓流ブームが起こっていたことは認識しており、韓国とフランスを行き来するうち、〝フランス居住者として見る東アジア現象〟に興味を持っていました。

ある時、私の勤めていた大学に、韓国文化サークルがあると知りました。留学中の韓国人たちが母国を懐かしみ、韓国映画やドラマを観る程度のサークルなのだろうと想像していたのですが、実はフランス人学生だけのサークルだったのです。彼らと話してみて、韓国のポップカルチャー（大衆文化）を非常によく知っていることに驚きました。これは学生たちへのインタビューを重ねて、研究を行う価値があるのではと思い始めました。

さらに決定的なきっかけとなったのは、ボルドー市内のある高校の特別講演に招待されたことです。高校の中庭である光景を見て、大変感銘を受けました。置かれた木製のベンチとテーブルに、色鉛筆や絵の具でＫ－ＰＯＰアーティストの名前がカラフルに記されていたのです。外国語を専門に学ぶ大学ではなく高校という環境で、さらにはパリではない地方都市の学校で、こうした文化が受け入れられることを知りました。これぞグローバル化の進展と、東アジア文化の消費だと瞠目《どうもく》し、韓流研究を始める

『BTS オン・ザ・ロード』ホン・ソクキョン著、桑畑優香翻訳、玄光社（2021年）

ことにしました。

K－POPのファンになった若者たちは、既存メディアから情報を得るのではなく、すべてネット上から収集していましたので、ネット情報の分析とインタビューを三年に亘って行い、『グローバル化とデジタル文化時代の韓流』という本を二〇一三年に執筆しました。

――フランスの若者たちの間で自然発生していたK－POP人気を、生で体感されたのですね。

その後、日本でも高評価となっている『BTS オン・ザ・ロード』を執筆されました。BTSは、二〇一三年に韓国でデビューした、七人組のボーイズグループで、正式名称は防弾少年団。二〇二一年八月現在、アジアではトップクラスのアイドルグループといえる存在ですが、BTSについて研究をしようとしたきっかけと、彼らの勢いについて感じた出来事は何でしょうか。

ホン　フランスから家族たちと共に韓国へ帰国した二〇一三年、ちょうどその年にBTSがデビューしました。デビュー当初はあまり人気の高いグループではなく、注目していなかったのですが、二〇一五年にリリースされたアルバム『花様年華《かようねんか》』の頃から、K－POPでよくあるダンス中心のMV（ミュージックビデオ）とは異なった独特の見せ方をしているなと気になり、二〇一六年十月に出たアルバム『ＷＩＮＧＳ』を聴いて、これは研究対象にすべきだと確信しました。

アルバム『ＷＩＮＧＳ』は、それまでのＫ－ＰＯＰとは一線を画す内容でした。例えば、アルバム収録曲「血、汗、涙」のＭＶと歌詞は、ヘルマン・ヘッセの『デミアン　エーミール・シンクレールの少年時代の物語』に基づいて作られ、ファンにさまざまな「深掘り」を促す印象的な楽曲でした。ＭＶ内でメンバー自身の話をするだけでなく、より広い世界、より深い意味を与えようという意図が見えました。

ちなみに他のグループの場合、韓国内でファンを増やしてから東アジアなどへファンを広げて行きますが、ＢＴＳの場合、海外での支持が大きくなった後に韓国でも人気を伸ばしており、『花様年華』から『ＷＩＮＧＳ』の頃にかけて、国内人気を不動なものにしました。こうして国内外のファンを獲得しながら、芸術性、ファンダム文化、アメリカでの成功など全てにおいて、ＢＴＳは確実に新しいトレンドやムーブメントを作っていると気づいたのです。

ヒップホップ性のアイデンティティを持つアイドル

——BTSは曲の中にあるストーリー性やメッセージ性の存在が大きいのですが、BTSはメンバー自身が楽曲制作を手がけ、そのリアルな言葉が韓国をはじめ世界の若者たちの心に響いたという話をよく耳にします。現在では、作詞作曲をするアイドルはBTS以外にもたくさんいますが、これだけメッセージ性を持った楽曲を作るチームはまだ少ないです。

ホン　BTSは最初から自分自身について語るグループとして作られた、ヒップホップ・アイドルです。当然、事務所（HYBE）の戦略として、アイドルに加えて「ヒップホップ性」のアイデンティティを持ったグループを作ったと言えるでしょう。ヒップホップ性とは、自分の経験を外へ表現することです。もちろんロックなどでもそうした主張は含まれますが、ヒップホップはよりその性格が強いといえますね。アメリカの大都市周辺部で生まれた音楽ジャンルで、自らの苛酷な経験をストレートに表現している曲が多く、特にヒップホップのラップには、強いメッセージ性が込められています。

——ヒップホップ・アイドルとしての方向性を事務所が定めたとしても、彼らはそれを

BTS（写真提供：EPA＝時事）

「歌わされて」いるのではなく、ＢＴＳの声として届けられていると感じます。実現できた理由は何でしょうか。

ホン　ＢＴＳ結成の過程には様々なストーリーがありますが、事務所代表のパン・シヒョク氏が、（ＢＴＳリーダーの）ＲＭという抜きんでた才能を持つ中学生のラッパーに出会い、彼を中心に据えたグループを作ろうとしたことが始まりです。ＢＴＳは、それを可能に出来るヒップホップ性を持ったメンバーらを中心に構成されたのです。

楽曲を作るアイドルはＢＴＳ以前から存在しましたが、ＢＴＳはデビュー当初からほとんどの曲の作詞作曲をメンバーが手がけ、特に作詞には全てＲＭが関わっています。このスタイルはK‐POP全体の発展に大きな影響を及ぼし、現在活躍するK‐POPのグループの多くは、自ら作詞作曲などの自己プロデュースを行なっており、アイドルたちの競争はさらに激しくなりました。以前はダンスと歌が上手く、ルックスがあれば良かったのに、今は楽曲制作能力も必要になりました。

トランスメディアを駆使したストーリーテリング

――先ほど、BTSは韓国より先に海外でファンが付いたとおっしゃいましたが、教授が『BTS オン・ザ・ロード』の中でも挙げている、「トランスメディア」や「ファンダム（熱心なファンによって形成された文化、コミュニティ）」が、海外でも大きく作用したと言えるのでしょうか。それぞれの解説と合わせてお伺いしたいです。

ホン　まずトランスメディア戦略とは、北米の文化産業が発展させたもので、二〇〇〇年代にコミックの分野で生まれた手法であり、産業のデジタル化と大きく繋がっています。

アニメや映画が制作される時、原作の漫画そのままに描かれるのではなく、そのアイデンティティを維持しつつ、主人公のストーリーの前後、また主人公が他のコミックのヒーローに出会って展開されるストーリー等に〝変形・拡大〟され、アニメーションや、映画、テレビシリーズなど多様なメディアとプラットフォームに広がっていきます。これが「トランスメディア」です。北米では既にこうした戦略が多く、『スター・ウォーズ』がその代表的なケースで、最近だとマーベル作品などがそうですね。

――様々なメディアを跨《また》ぐ「クロスメディア」は日本でも一般的ですが、「トランスメディア」は、作品に関連する様々な要素を、様々なメディア等へちりばめるということですね。

ホン　クロスメディアは、原作の物語を脚色して他の媒体へ持っていく形式です。対してトランスメディアは、原作をさらに〝変形・拡大〟させ、話がどんどん豊かになる。これが可能なのは観客が一人ではないからです。この手法をとると、ファン同士のコミュニケーションが非常に盛り上がるんですね。

「あの展開はどう理解すればいいの？」「あの要素は何のこと？」と、観客たちが積極的にオンライン上で多彩なサーチをしながら楽しむようになります。作品を見れば見るほど新たな疑問が生まれ、さらにその世界を知りたくなる。まさにこれが、文化産業戦略と積極的なオンラインコミュニティが出会って生み出されたトランスメディアの世界です。ＢＴＳはこのトランスメディア戦略をＫ－ＰＯＰ界でもいち早く活用し、その楽しみ方に慣れ親しんでいる欧米の人々には自然と受け入れられました。

――では、ＢＴＳはトランスメディアをどのように取り入れたのでしょうか。また、ＢＴＳの他にトランスメディアを取り入れたＫ－ＰＯＰグループは存在するのでしょうか。

ホン　ＢＴＳの二年前にデビューしたＥＸＯ（エクソ）の場合も、独特のアイデンティティを持っています。これまでさまざまな方面で、〝ＥＸＯユニバース〟を築きながらトランスメディアを試みており、現在も続いています。ただ〝ＥＸＯユニバース〟のほとんどがファンタジー系やＳＦ的です。

ＢＴＳのトランスメディアの特徴は、ＭＶのストーリーや楽曲の歌詞で語られる架空の世界と、現実の世界が相互に影響を及ぼす、七人の友人の物語です。詳しくは『ＢＴＳ オン・ザ・ロード』に記しましたが、お互いに違う悩みを抱えている七人……例えば、あるメンバーは自殺願望にかられ、あるメンバーは貧しい生活、などの各々のストーリーを持ち（フィクションの顔）、アルバムを通して継続していきます。またＢＴＳメンバーとしての七人のアイデンティティ（ＢＴＳとしての顔）、そして七人各々がリアルな背景を持つひとりの人間（私生活の顔）、という大きく三つの要素が、様々なメディアにちりばめられ、重層的に展開されているのです。これら七人の話がミックスされ、成長し、繋がり合うことで、計り知れない相乗効果が生まれています。このようにBTSは、非常に豊かなトランスメディアを構築することに成功したのです。

ファンダムは民主化以降の文化への熱望から始まった

――トランスメディアの〝観客〟について伺います。BTSにはARMY（アーミー）という強力な「ファンダム」が存在します。そもそも韓国のアイドルや俳優には、昔からファンとの強い絆が存在していたと思われますが、韓国特有のファンダムはどのように生まれたでしょうか。中でも突出したファンダムであるARMYの存在についてお聞かせ下さい。

ホン　韓国のファンダムを知るためには、まず韓国の八〇～九〇年代を知る必要があります。韓国にポップカルチャーが誕生した起源は、八〇年代に実現した民主化です。それ以前の韓国は軍事独裁政権で、文化的には非常に脆弱《ぜいじゃく》な状態で、自由な表現ができず、数十年間抑圧されていました。しかし八七～八九年の民主化運動によって、様々な文化が堰《せき》を切ったようにあふれ出たのです。そのため九〇年代のカルチャーは、今よりはるかに潑剌《はつらつ》として、未来への自信にあふれ、ファッションも自由闊達でした。

そんな中、ソテジワアイドゥル（リーダーのソ・テジを中心にした三人組ヒップホップ系アイドル。うちヤン・ヒョンソクは、後にＢＩＧＢＡＮＧやＢＬＡＣＫＰＩＮＫを擁するＹＧエンターテインメントの設立者）が九二年にデビューしました。ヒップホップを取り入れた力強いダンス・ミュージックで、Ｋ－ＰＯＰの原型的な存在となりました。当時の学生たちは、抑圧的に勉強を強要され、体罰や校内暴力もあった時代でした。しかしソ・テジは中卒でありながら、自身の経験を音楽の中で発散したため、中高生の間で熱狂的なファンダムが生まれました。Ｋ－ＰＯＰ最初の巨大なファンダムと言えます。

九〇年代半ばには、ＳＭエンターテインメントのH.O.T（エイチオーティー）、ＪＹＰエンターテインメントのgod（ジーオーディー）など、Ｋ－ＰＯＰ第一世代と言われるアイドルグループが誕生し始めました。こうして、ソテジワアイドゥルから始まったファンダムの文化が、現在のＫ－ＰＯＰカルチャーの熱気に繋がるのです。

ＡＲＭＹは、数あるアイドルのファンダムの中でもとりわけ規模が大きく、各地で毎年カンファレンスが開かれています。一方で自浄能力も高く、大きな問題を引き起こすこともありません。博士課程、修士課程に属する方も大勢いて、さまざまなコミュニケーションが展開されています。
以上のような、韓国国内のファンダム文化の影響を強く受けながら、海外でもＫ－ＰＯＰのファンダムが形成されてきました。

「韓流は国家戦略」という一面的な先入観

――教授のお話からも、ＢＴＳの音楽やコンセプト、またトランスメディアの面白さなどを通して、世界各地にＡＲＭＹが生まれ、ＢＴＳを支える巨大な力となり、従来アイドルという文化がなかった欧米でも受け入れられ、メジャーなエンターテインメントになったのだと理解しました。しかし日本では「韓流は国策だ」という声もまだまだ根強いのですが、この点についてどうお考えですか。

ホン　この件に関しては、遠回しにせずお答えします。韓流の成功は政府の支援によるものだという偏見を持たれる最大の理由は、ただのコロニアル（植民地的）な考え方です。「韓国は少し前まで後進国だった。テクノロジーの進歩で半導体と造船業と車を輸出することまではは理解できるが、お前たちが文化を輸出するのか？」と。日本の一部の方だけでなく、例えば欧米のエリートメディアの記者、批評家、学者、そして西欧の帝国主義的な態度を持つ南米のジャーナリストなどが、根拠なくそう信じています。彼らはファンダムの存在や文化的な背景を全く知らないのです。

韓国が文化産業を外へ送り出す国家予算を他国と比較しても、戦略的と言えるほど充実しているものではありません。例えば、ＳＭエンターテインメントが二〇一一年にパリで大規模コンサートを開催したとき、会場使用料をＫＯＴＲＡ（大韓貿易投資振興公社）が支援した程度です。

そうした印象を持たれる一因は、韓国政府がＫ－ＰＯＰを利用してきたことにあります。韓国の在外公館等が、外交の一環として韓国文化の広報活動をするときに、自分たちは文化事業の支援を手厚くやってきたと強調してきたのです。もちろん国が努力してきた面も多々あると思いますが、それは世界すべての国が行っている外交事業の一つで、韓国だけが特別なわけではありません。

東アジアで初めて韓流が起きたのは、一九九〇年代末〜二〇〇〇年代初頭のドラマ作品からでした。なぜ中国で好まれるのか、なぜ日本人は『冬のソナタ』が好きなのか……。当時、我々韓国人もその状況を理解できず、多くの人たちがその理由を研究しましたが、国家戦略が奏功した、という分析を行った方はいないでしょう。次に訪れたK－POPブームの場合もファンダム現象が大きな理由であって、政府の支援でブームが起きたとは到底言えません。韓国は現在OECDの加盟国（九六年〜）になりましたが、九〇年代後半〜〇〇年代始めに韓流が勃興したときは、今ほど力のある国ではありませんでした。

つまり、私はよく言うのですが、韓流は、「伝播現象」ではなく「受容現象」なのです。韓流が力を持ったのは、〝受け入れられる現象〟の結果であって、政府が輸出したという〝伝播〟の結果ではありません。文化の輸出は、市場を探すうえで産業が行う当然の努力の結果であり、国家の戦略的支援の結果ではありません。このインタビューを通じて、多くの人々に知って頂ければと思います。

――確認しますと、韓国が国として海外に向けて何かを発信する際、「韓国には韓流がある」と強調することが多々ありますが、それらは芸能事務所や音楽事務所らが企業努力を重ねて海外進出を果たしたのち、国や政府が〝後乗り〟したということですね？

ホン　その通りですね。最近の外交で重要な概念が〝ソフトパワー〟です。この概念はアメリカで作られたものです。アメリカは湾岸戦争に始まり、九〇年代に多くの戦争を行ってきました。対外的に、軍事力のような〝ハードパワー〟を活用しすぎて、アメリカの世界支配に対する抵抗が激しくなってしまいました。ところがアメリカには、世界的影響力を維持するための、〝ハードパワー〟ではない方法がある。そこから人気のポップカルチャー、つまり〝ソフトパワー〟を積極的に活用しようという話がアメリカから出てきたのです。

最近はさらに進んで、「Public diplomacy（パブリック・ディプロマシー：公共外交）」という言葉が話題です。これまでの外交は〝国家と国家〟でしたが、〝国家と一般人〟、または国を跨いだ〝一般人と一般人〟の関係を通じて関係を良くしていこうというのが、「公共外交」です。当然、韓国ポップカルチャーは人気があるため、公共外交に活用されようとしています。

しかし、韓国政府はこれまで韓国ポップカルチャーをあまりにも我田引水のやり方で利用し、間違った理解が起きているので、韓国の国策として利用すると韓国のイメージがかえって悪くなる、利用するなという議論が起きています。利用するにしても、政府が外交手段として直接関与するのではなく、〝民間と民間〟が互いにカルチャーを通じて繋がることができるよう、国が後方支援を行うことが適切なあり方でしょう。

韓国は今、この〝バカげた先入観〟と戦わなければならないのです。この先入観は、韓国が猛スピードで経済成長をして先進国となったことから来るものですね。なぜなら経済の分野では初期の段階で国が主導してきた部分が大きく、一九六〇～九〇年代に亘って、経済開発五ヵ年計画を継続的に樹立し、尋常ではない速さで発展を遂げてきました。そのため、「文化もそうだろう」と間違って捉えられているのです。

韓流ならではの魅力とは

――韓流パワーがファンと共に独自に育ってきた現在、音楽だけでなく、映画『パラサイト　半地下の家族』や『ミナリ』の世界的映画祭での受賞、Netflixを通じて『梨泰院《イテウォン》クラス』をはじめとしたドラマ作品も大人気となり、韓国の映像コンテンツがここ最近世界で評価を受けています。世界で愛される、韓流ならではの魅力は何だと捉えていますか。

ホン　特別な理由があるのではなく、やはりクオリティです。私はＫ－ＰＯＰより韓国ドラマが専門なのですが、どの作品を見ても実に見応えがあります。

最近、複数の国の方を対象に行ったNetflixの研究の一環で、Netflixで初めて韓国ドラマを観た人と、すでに他のチャンネルで見ていてNetflixで改めて観ている人へインタビューを行ったところ、非常に多くのタイトルが観られていると分かりました。『梨泰院クラス』

や『愛の不時着』のような大人気作はもちろんのこと、海外で既に放送済みの作品でも、Netflixで再度観て面白かったという声があります。

そうした反応を聞いた上で私が言える結論は、やはり「クオリティの高さ」です。音楽でも、例えばＢＴＳの英語曲「Butter」は、米国でチャート上位のポップソングと比べてみても、遜色《そんしょく》ないレベルに達しています。

二つ目は、ＢＴＳをはじめとする音楽も、ドラマや映画作品でも、その中にある「人間関係」と、「様々な価値観」の魅力が人々を惹きつけていると言えるでしょう。

例えば『梨泰院クラス』の評価が高い理由として、ブラジル、アメリカ、フランスの人々が私にこんな話をしてくれました。ドラマ内で見られる多様な文化が入り混じった都市文化、その中で英語ができず韓国語だけ話せるハーフの登場人物やトランスジェンダーなど、様々なアイデンティティを持った若者が共に生きていく内容が繰り広げられます。こうした内容は、韓国だからこそ可能ではないかと。他にも、ドラマ『サイコだけど大丈夫』においても、非常に多彩なテーマを取り上げ、精神的な問題や痛みを持った人々を深く掘り下げて描いています。つまり、人間関係が丹念に〝コンストラクト（構築）〟され、感動をもたらすのが、韓国ドラマの特徴と言えるでしょう。

日本カルチャーが築いた高速道路を、韓国コンテンツが駆け抜ける今

――『BTS オン・ザ・ロード』では、韓国ポップカルチャーの原型には、日本のポップカルチャーがあると触れています。K-POPは、日本カルチャーのどんな点が内包されていると見ていますか。

ホン　私が最近英語で書いた本が、『Transnational convergence of east Asian pop culture』（東アジアのポップカルチャーの国際的融合）です。東アジアのメディア文化は、多くのものを共有しています。中でもアイドルカルチャーは、六〇年代に日本のジャニーズによって創出されました。若いうちからトレーニングを積み、歌だけでなく演技も身に付けさせマルチに活躍できるよう育てるシステムですね。韓国はそのシステムを参考にしました。特に八〇～九〇年代の日本の影響はとても大きいと思われます。合わせてアメリカの様々なボーイズグループも参考にして作られたのがK-POPです。

――八〇～九〇年代は、韓国の日常に日本カルチャーがあったと聞いていますが、ホン教授が韓国で触れた日本カルチャーはありますか？

ホン　私は十代の頃、「ベルサイユのばら」や「キャンディ・キャンディ」など日本の漫画をたくさん読んで育ちましたが、いま思えばそれらは海賊版で、当時は日本の漫画と知らずに読んでいました。八〇年代はまだ日本漫画の輸入は違法で、九〇年代末から正式ライセンスが可能になったため、九〇年代に二〇代を送った韓国人は、もっと日本文化の影響を受けたでしょう。漫画だけでなく日本の音楽も数多く入っていて、私も友達の勧めでＸ　ＪＡＰＡＮを聴きましたね。

また九〇年代、韓国のテレビ局は、番組制作の参考にするため、局内で日本のテレビ番組をたくさん流していました。現在は中国で、韓国のリアリティ番組の影響を受けた番組が数多く生まれていますが、以前の韓国も日本の番組の影響を受けていたのでしょう。隣接する国家同士のこうした文化的影響は、ある意味自然でした。

――加えて『ＢＴＳオン・ザ・ロード』の日本語版の後書きには、「ＢＴＳは、日本では〝韓国人のアーティスト〟だが、東アジアの外では韓国人だけでなく〝東アジア人を象徴する存在〟」とあります。世界で人種問題を含む多様性が注目される昨今、アジアカルチャー自体に視線が集まりやすい時代とも言えるのでしょうか。

ホン　そうですね。ＢＴＳだけでなく、様々な魅力を持つ韓国ポップカルチャーが世界で人気を博しており、東アジアの象徴のような存在になっております。

　冒頭でお話ししたように、韓流が初めて東アジアで爆発的な人気を得た二〇〇〇年代初頭、私はそれをフランスで観察していました。西欧でのアジアコンテンツ消費の流れは、まず日本の漫画に触れ、日本漫画を原作にしたドラマを見て、日本の有名なスターを好きになり、ネットが発達してからはＰ２Ｐプラットフォーム（ネット上でファイル共有を行える場所）、ストリーミングで視聴できる巨大なポータルサイト（Yahoo! やNAVERなど）にアクセスしていましたが、その中に韓国のドラマが入ってきました。もちろんＺ世代（九〇年代半ば～二〇〇〇年代後半頃の出生者。二〇二一年現在で十代～二十代半ば）はＫ－ＰＯＰから韓流にハマるケースもたくさんありますが、ミレニアル世代（八〇年代初頭～九五年頃の出生という定義。二〇二一年現在で二十六～四十歳前後）は日本カルチャーを入口に韓国カルチャーを知るという流れがほとんどです。

　私の著書で度々語っていますが、この流れを例えていうならば、日本の漫画が築いた〝東洋と西洋を繋ぐ文化的な高速道路〟の上を、今、最もキラキラしていて、スピード設計もデザインも良くできた、韓国コンテンツが駆《か》け抜けているのです。その道の上にはいずれ、タイ産、ベトナム産、インドネシア産、中国産も通るでしょう。東アジアの国々の間でも、緊張が大きくなったり、政治的な違いがあったり、外交的な葛藤《かっとう》もありますが、ポップカルチャーは感受性で繋がり、世界の人びとを魅了しているのです。

Ｋ－ＰＯＰが世界のエンタメに与えた影響

――ＢＴＳを始めとするＫ－ＰＯＰは、世界のエンターテインメントに、どんな影響を及ぼしたと言えるでしょうか。

ホン　二つお話しします。第一に、フリーコンテンツの重要性。世界のポップカルチャー市場では、ＩＰ＝知的財産権が重要視されます。しかし、お金を払って見聴きさせるためには、それ以前に認知される必要があります。既存のメディアで存在を知って興味を持たなければ、お金を払ってまで買いませんよね？　世界の市場、特に北米の市場では、「知的財産権で守るべきコンテンツをどうやって人々に認知させるか」が共通の課題になっていました。

しかし、Ｋ－ＰＯＰは知的財産権にこだわりませんでした。多くのフリーコンテンツをYouTube等にそのまま流したのです。その結果、著作権法違反となる、ファンが作り出した様々なデジタルコンテンツがアップされましたが、各事務所は目をつぶりました。そこから多くの国の人々が興味を持ち、次第にＫ－ＰＯＰのファンダムが各地に波及しました。この「フリーコンテンツ戦略」が重要だったのです。

――二〇〇〇年代半ばにYouTubeが誕生して間もなく、Ｋ－ＰＯＰはYouTubeに高クオリティのＭＶを載せて発信し続け、世界で受容されていきました。この状況は、著作権管理が厳しい日本市場からすると羨ましい状況でした。

ホン　アーティスト側は一時的に損をして、パイを大きくすることを取ったと言えますね。著作権を守ればパイは大きくならなかった。ただ、Ｋ－ＰＯＰの企業がそれを意図して戦略的に始めたというよりは、当時は著作権意識が弱かったために、そうなった面もあるでしょう。

――日本で言う〝損して得取れ〟の精神ですね。そしてもう一つは。

ホン　二つ目はファンダムの重要性です。全世界の音楽市場で、ＣＤの売り上げが下がり続けていますよね。Spotifyなど有料ストリーミング・サービスへ消費が移ったことが原因ですが、Ｋ－ＰＯＰのファンは音楽消費の独特な文化を持っています。

Ｋ－ＰＯＰファンたちは、支持するグループが新しい作品を出したら、それを国内外問わずチャートの一位となるよう動きます。そうすることで、自分たちがどれだけ組織力を持っているかを示すことにもなりますから。そのために、どうすれば一位になるかを研究し、CDをどれだけ買う必要があって、ストリーミングはどんな方法で聴けば順位が上がるか熟知しています。

世界のARMYが韓国のARMYたちに倣って、アメリカで大々的に行ったファンダム活動があります。アメリカではラジオで楽曲がどれだけ流れるかが人気を獲得する上で重要なのですが、これまでは絶対にK-POPを流しませんでした。しかしARMYたちは多大な努力を注ぎ、結局ビルボード・チャートの上位圏に入るまで影響力を及ぼしたのです。

これまでは、レガシー・メディアを掌握していた音楽媒介者が権力を持っていて、レコード会社との特別な関係性によって、どんな曲を流すかが判断されてきました。そうしたプロモーション関係に頼らず、完全にファンのみでビルボード一位を獲得させる力を見せたのがARMYです。このムーブメントは既存の慣行を大きく変えるパワーとなったのです。

——日本でもK-POPの日本オリジナル盤が出ると、チャートを上げるために海外のファンが数百枚単位で購入するという話も耳にします。こうした行動は、批判の対象にならないのでしょうか。

ホン　おっしゃる通り、ファンダムが買い占めをして本来のランキングを歪曲させると批判する声もあります。しかし、レコード会社やメディアとの既存のプロモーション関係において、特別扱いを受けたアーティストが露出を増やすことは正当なのでしょうか。ファンが集中的にストリーミングの再生回数を上げたり、お金を注いでCDをたくさん購入したりすることは、ファンたち自身のお金や行動であるのに対して、金銭の発生するプロモーションは、特定の影響力を与えた結果ですよね。いずれにせよ、こうした話が大きな議論になっており、音楽業界が大きな変化の只中にあることが窺《うかが》われます。

米国のエンターテインメントビジネスは今、BTSが所属するHYBEの米国進出に興味津々でしょう。彼らのノウハウを学び、アルバムの売上を上げるK-POPアーティストたちとコラボレーションができればより良いですよね。それを見越してHYBEは今年の春、アメリカの会社イサカ・ホールディングス（音楽プロデューサー、スクーター・ブラウンが最高経営責任者を務めるメディア企業。マネジメント会社には、ジャスティン・ビーバーやアリアナ・グランデらが所属）。を買収し、所属している数多くの知的財産権を一度に購入しました。今後数多くのコラボ作品が発表されるでしょう。

フリーコンテンツ活用の先にファンダムが生まれ、アメリカの音楽市場でも重要なプレーヤーになりました。世界のエンターテインメントに大きな影響を与えたと言えるでしょう。

第四章

なぜアジアにベンチャー生態系が必要か

――ビジネスの未来

Photo by Toshimitsu Takahashi

孫 泰蔵

取材・構成　Voice 編集部（水島隆介）

そん・たいぞう　連続起業家、ベンチャー投資家。一九七二年、福岡県生まれ。東京大学経済学部在学中から一貫してインターネットビジネスに従事。その後二〇〇九年に「二〇三〇年までにアジア版シリコンバレーのスタートアップ生態系をつくる」として、スタートアップのシードアクセラレーター MOVIDA JAPANを創業。そして一三年、たんなる出資にとどまらない総合的なスタートアップ支援に加え、未来に直面する世界の大きな課題を解決するため Mistletoe を設立。ソフトバンクグループ会長兼社長の孫正義氏は実兄にあたる。

「経路依存症」という人間の性《さが》を知っておく

——世界中で変異株が流行していることもあり、私たちは依然として新型コロナウイルスの脅威に晒《さら》されています。パンデミックの以前と以後を比較したとき、孫さんは社会や企業の何が変わり、何が変わっていないと感じていますか。

孫　まさしく現在も渦中《かちゅう》なので、明確な評価が難しい点はありますが、たとえば日本でもリモートワークが一気に浸透したことは間違いないでしょう。

私が主宰しているMistletoe（ミスルトウ）は、四年前くらいから物理的に顔を合わせたミーティングをほとんど行なっていません。コロナ禍以前の二〇一八年七月には四〇〇坪のオフィスも解約しました。当時は二〇〇人ほどがオフィスに出入りしていましたから、社員からも「え？　明日からどこで働けばいいんですか？」という反応がありました。ただし、そのときに思い切ってリモート化を推進したことで、コロナ禍《か》の影響は幸いにもほとんど受けませんでした。

経路依存症という言葉がありますが、一度慣れ親しんだものを深く考えずに続けてしまうのは、いわば人間の性《さが》です。現状の暮らしや仕事にそこまで困っていなければ、新しい技術やツールが開発されても導入しない、というケースはむしろ普通です。私たち人間は、そうした性質を備えた動物なのですから。むしろ大切なのは、その事実へのメタ認知ではないでしょうか。その点を自覚していれば、もしも新しいやり方が「本当に」必要になったときに、即座に動けるはずです。

その意味で今回のパンデミックは、強制的に意識や習慣を変化させられた側面が強いですが、これまで無批判に続けていた手法をガラリと変える経験を、日本中が味わったことになります。「やればできる」という実感を得られた人も多いでしょう。そう考えれば、今回の経験は結果的にプラスに働くかもしれません。

――孫さんからご覧になって、実際のところ日本に変化の兆《きざ》しはみえているのでしょうか。

孫　間違いなく変わりはじめています。Mistletoe がまだ東京にオフィスを構えていた数年前、次のようなことがありました。

某省庁の方が僕に話を聞きたいと依頼をしてきたので、「現在はシンガポールにいるので、ミーティングはオンラインになりますが、それでもいいでしょうか？」と尋《たず》ねました。すると、「少々お待ちください」と回答が数日間も保留された挙句《あげく》、「オンラインでも結構ですが、御社の東京オフィスに伺わせていただけませんか」という回答が返ってきた（苦笑）。もちろん僕は東京にいないのですが、それでも「いろいろな理由があって、霞が関のなかからはオンラインのミーティングができない」というのです。

いまはさすがに、そのような話は耳にしなくなりました。職種に関係なく、Zoom などのオンラインツールを用いたミーティングに対して、ほとんどの方がいくらかの免疫《めんえき》をもっているでしょう。

DXという言葉を叫んでいるのは日本くらい

――現在のように変化の激しい時代に、スタートアップ（独自性の高い価値を提供することで、新たな市場を開拓し、社会的にインパクトを与える企業）が社会に対してはたすべき役割や意義はどこにあるでしょうか。孫さんは世界を代表する連続起業家であり、また投資家として、IT関連のスタートアップへの投資を数多く行なってきました。

孫　いわゆるビジネス的な観点でいえば、イノベーションや新しい動きを巻き起こすのはスタートアップ以外にあり得ません。もしも大企業の新規事業立ち上げが高確率で成功していたら、日本は現在のような状況になっていないはずです。

どれだけの日本人が自覚しているのかはわかりませんが、僕はすでに日本は「後進国」といって差し支えないと考えています。危機感を抱いている人は少なくないでしょうが、そうした方でも世界のなかで「中の上」くらいの位置と感じてはいないでしょうか。ですが誤解を恐れずにいえば、実際は「中の下」がいいところです。いや、下手をすればもっと下かもしれない。たとえば、行政のデジタル化やDX（デジタルトランスフォーメーション）が叫ばれていますよね。でも、DXなどという言葉を使っているのは日本くらいではないでしょうか。他国ではデジタル化はごく当たり前の話で、あらためて示し合わせる必要はありません。

日本がこんな状況に陥《おちい》った事実が、大企業や既存の組織ではイノベーションを生み出せないことを証明しています。これは何も、日本の大企業にかぎった話ではありません。構造上の問題であり、だからこそアメリカや中国は大企業だけに頼らず、この三十年間でスタートアップに対する投資額を劇的に増やしているのです。

米中のスタートアップへの投資総額は、二〇一一年時点ですでに日本の約四〇倍でした。以降もその差は広がり続け、昨年は約一三〇倍という数字ですから目を覆《おお》うばかりです。

――米中に「追いつく」という言葉を軽々《けいけい》に口にできないほど差が開いている。この事実は直視しなければいけません。

孫　とはいえ、ここでたんに意識の変革を呼び掛けても意味はありません。日本社会の問題はスタートアップにリソースが回る仕組みが整っていない点です。そこに目を向けなければ具体的な改善には結びつきません。デジタル化の遅れにせよ、スタートアップによるイノベーションを促進してこなかったことが要因です。このままでは米中との差は広がるばかりで、僕ももちろんそうした日本の未来はみたくない。だからこそ、こうして危機感を口にしているのです。

たとえば僕が住むシンガポールは、ものすごく先進的な国というわけではありません。それでもすべての行政の手続きが、スマートフォン一つで完了します。さらにいえば、現金を使う場面は一切ない。植木屋さんが家に来たとしても、スマホを使ってその場で決済します。それが当たり前の社会なのです。

ルワンダの空を飛ぶスタートアップのドローン

――孫さんがMistletoeで支援を行なっているスタートアップの事業の進め方は、日本の大企業とは大きく異なるようですね。

孫　はい。今お話ししたデジタル化にしても、大企業などは推進そのものを目標に設定しがちですが、スタートアップの多くは社会課題を解決するうえでの手段の一つとしてデジタルを利用しています。そんな企業の活動を応援することは、世の中の方向性をポジティブに変えることへつながるはずです。

――具体的にはどのようなスタートアップを支援されているのでしょうか。

孫　一つ例を挙げると、Zipline（ジップライン）というアメリカのスタートアップがあります。彼らは人工知能搭載の飛行機型ドローンを開発していて、そのスペックは半径二〇〇km以内ならば二、三十分で物資を運べるレベルです。主たる用途は救急医療で、彼らのドローンは二〇一六年より実際に東アフリカのルワンダで使われています。

ご存じのとおり、ルワンダは内戦が続いた地域です。インフラが不十分な地域では、市民が大きな病気や怪我《けが》をしたとき、輸血用の血液やワクチンを入手できずに命を落としかねません。また問題になるのが温度で、コールドサプライチェーンという言葉もあるように、血液などは冷蔵の状態で運ばないといけません。ところがルワンダでは医療用の冷蔵庫が全国に配備されていませんから、たとえ物資が無事に届いたとしても使われる前にダメになってしまう。もし体制を整えようと思っても、莫大《ばくだい》なお金がかかってしまうのです。

ここで、とてつもない価値を生むのがZiplineのドローンです。彼らのドローンを使えば、輸血用の血液が必要になったとき、三十分以内に現場へ届けられます。つまりは、病院に血液用の冷蔵庫を置く必要がなくなるのです。また、半径二〇〇km以内に届けることができるので、二か所の基地だけでルワンダの国土全部をカバーできるし、しかもドローンを一回飛ばすコストは数百円。そうして全自動運転の人工知能を積んだ救急ドローンがルワンダ全土を飛び回るようになり、何万人もの命が救われています。このルワンダは日本ではあまり知られていませんが、国営の救急ドローンが空を駆《か》けた初めての国でもあるのです。

――Ziplineは初めてドローンという技術を開発した企業ではありませんが、「(すでに存在する)ドローンという技術をどう社会の課題解決に結びつけるか」を追求して大きな変革を起こした。そう考えると、現在の日本でもすでに解決できるはずの課題を放置しているケースが少なくないのかもしれません。

孫　そんな現状を打破するためにも、Mistletoeは二〇〇社くらいのスタートアップを応援しています。彼らこそが社会を変革することができるからであり、それはすなわち

Mistletoe のミッションでもあります。

「それって儲かるの？」という問いは古い

――月刊『Voice』二〇二一年六月号でファーストリテイリングの柳井正《ただし》会長兼社長に取材したとき、日本の企業には成長とサステナビリティ（持続可能性）の二つを両立させる意識が足りないと指摘されていました（PHP新書『転形期の世界』［Voice編集部編］に収録）。社会課題の解決も同じで、企業の成長と連動させるという意識が大企業には乏しい気がします。

孫　日本にかぎった話ではありませんが、たしかに企業の成長と社会課題の解決を天秤《てんびん》にかける経営者は少なくないでしょう。しかし、そうした考えはいかにも「古い」といわざるを得ません。現在の世の中では、社会課題を解決するスタートアップこそが資金を調達できています。なぜかといえば簡単な話で、社会からのニーズが大きいから。もはやお題目《だいもく》のようにCSR（企業の社会的責任）などを叫べばいい時代ではありません。

――ビジネスの構造そのものが大きく変わっていることに、とくに日本人は気付いていない。

孫　そう。Mistletoe は二〇一五年くらいから現在の活動を続けていますが、当初は日本でもシリコンバレーでも、よく「NPOとして活動しているのですか？」と聞かれたものです。しかし、遅かれ早かれ企業のすべてが社会課題と向き合う時代が訪れます。これは疑う余地のないメガトレンドだと認識したほうがいいでしょう。

――一方で、最近の日本のスタートアップに社会課題の解決に取り組む会社が増えているのは、若者が時代の変化を読み取っているからでしょうか。

孫　おっしゃる通りで、その傾向は明らかです。若い起業家たちは、社会課題への意識が非常に強い。いわゆるミレニアル世代やZ世代などといわれる、二十代から三十代の方々ですね。彼らは起業の理由を「社会課題を解決したいから」と言い切ります。僕らの世代は往々《おうおう》にして名誉やいい車がほしい、または「モテたい」という動機でしたから（笑）、隔世《かくせい》の感があります。

――なぜ若者は、それほどまでに社会課題の解決に取り組む意識が高いのでしょうか。

孫　まずは、学校などで環境問題をしっかりと学んでいるからでしょう。そして、お金のために頑張る両親をみても、「カッコいい」と思わなくなったからではないでしょうか。それはもちろん、両親がいけないという話ではありません。お父さんとお母さんは懸命に働いているのに、どうして世の中や自分の身の回りはよくならないのか――。子どもたちが、そんな素朴《そぼく》な疑問を抱くのは無理もないでしょう。

いまやどの国でも、ビジネスを儲《もう》かるか・儲からないかだけで判断する若者は減っています。だから僕は、相手が「それって儲かるの？」と口にしたら、その瞬間に古い価値観の人間だと認識して、二度と付き合わないようにしています。はっきり言って、そうした方にはビジネスセンスがない。社会課題の解決にこそ、とてつもない勢いでお金が集まる流れが理解できないようでは、時代を読む嗅覚《きゅうかく》がありません。

わざわざシリコンバレーに行く必要はない

――孫さんはかねてより「アジアにシリコンバレーを上回るベンチャー生態系をつくる」という目標を掲《かか》げ活動しています。他の地域ではなく「アジア」につくると謳《うた》ったのは、なぜでしょうか。

孫　あのフレーズに関しては、問題をあえてわかりやすくするために「アジア」という言葉を用いました。シリコンバレーには、じつに多くのアジア系の人びとが働いています。それは、シリコンバレーに行かないと資金調達ができないからです。ところが、そうした方に「成功を収めたあとはどうするの?」と聞くと、多くは「故郷に錦《にしき》を飾るんだ」と返してくる。シリコンバレーで稼いだお金やリソースを使って、生まれた国に貢献したいというわけです。

僕はその話を聞いて、率直に「ならば最初からアジアで働けばいい」と感じました。それと同時に、アジアで起業したいと思わせるようなベンチャー生態系をつくるべきと考えました。アジアはいま人口が増えていて市場もあります。それなのにことさらシリコンバレーを信奉《しんぽう》するのは、日本に置き換えれば、いつまでも「東京に出ないと一人前にはなれない」と話すようなものでしょう。

生態系にとってもっとも大事なことは、豊かな多様性を保つことです。一元的な価値観で「シリコンバレーに行かないとダメ」「上京しないと有名になれない」と考えること自体が、僕はどうしても「しょぼい」と思うんです。それよりは、各地に多様な生態系を育てるほうが、芳醇《ほうじゅん》な世界につながるはず。だから、一昔前のようなシリコンバレー一極ではなく、私たちであればアジアで同じように資金を調達してイノベーションを起こせばいいし、そのための仕組みや制度をつくるべきなのです。「アジアにシリコンバレーを上回るベンチャー生態系をつくる」という目標を掲げたのは十年以上前でした。いまとなっては、スタートアップエコシステムはじつは世界中にあるという認識は、すでに広がってきていますね。

――そう考えると、「シリコンバレーを上回る」という表現を用いてはいますが、それは規模や数字のうえで凌駕《りようが》するという意味ではなく、あくまでも多様性を担保するためにシリコンバレー以外の選択肢をつくるという意味になるでしょうか。

孫　一義的にはそのとおりです。いままで誰もそこまで突っ込んで聞いてくださらなかったのですが、調達した資金の額や会社の数などは高度経済成長期の指標にすぎません。言うなれば、「最強の生態系」をめざすという発想自体が時代錯誤も甚《はなは》だしい。そうではなく、シリコンバレーとは異なる価値観で動くエコシステムをつくりたいというのが、僕がずっと考えてきたことです。

シリコンバレーの企業をみると、たしかに規模としては成長しています。しかし、彼らの企業活動がはたして社会の役に立っているのだろうか、むしろ害悪になっているケースさえあるのではないか――率直に言って、僕はそう感じています。少なくとも、社会的な意味や意義がある企業に、ヒトやモノ、カネが集まるように応援する生態系が生まれるべきではないでしょうか。「対前年比○％伸びている」「時価総額○億円」などという指標だけを追いかけても、いずれ限界が訪れます。

「アジアにシリコンバレーを上回るベンチャー生態系をつくる」と言いはじめた当初は、こんな話をしてもピンとこない人が大多数でしたが、徐々に理解されるようになったのは喜ばしいことです。

希望は日本の若者

――月刊『Ｖｏｉｃｅ』二〇二一年九月号でも佐伯啓思・京都大学名誉教授が、西洋近代的な「経済成長至上主義」の限界を指摘されており、孫さんのお考えにもつながるように感じました（本書第六章）。

孫　その意味では、シリコンバレーや現在の中国ほど強烈な資本主義社会ではないという点において、新しい道を提示しうるのは、もしかしたら日本の強みになるかもしれませんね。

ところが、まだ日本では旧態依然とした考え方が蔓延《まんえん》していて、先日受けた某取材でも、

「日本からユニコーン企業を生むにはどうすればいいか」という質問がありました。彼らからすれば、「日本の大企業はもうダメだからユニコーン企業が牽引《けんいん》すべきだ」というナラティブ（文脈）をつくりたいのでしょう。しかしそうした「マッチョ思考」こそが諸悪の根源なのです。第二や第三のソニー、ホンダが現れて日本を引っ張ってもらうという一九七〇年代の考え方を、二〇二〇年代にもち出すべきではありません。

――まさしく高度経済成長期の「神話」をいまだに追いかけているわけですね。

孫　佐伯先生がおっしゃるように経済成長至上主義には先がないわけで、それは現在の貧富の差の拡大や環境破壊をみれば明らかでしょう。トマ・ピケティが指摘したように「r＞g」なのです（rは資本ストックの収益率、gは経済成長率）。自分は「勝ち組」に入って儲ける側に回ろうと考えても、それは最終的に自分たち全体の首を絞《し》めることにつながります。貧困層が増えれば社会的インフラが維持されなくなり、それこそ立ちゆかなくなるのは明白なのですから。

ただし、僕は一方で希望も抱いています。先ほどもお話ししましたが、現在の日本の若者をみると、彼らはシリコンバレーや、過去の高度経済成長期などのやり方では明らかにダメだと気付いている。言語化できるかは別としても、ほとんどの若者が直感的にはわかっていますよ。

――よく日本の若者は内向き志向になっていると語られますが、そうした指摘はどう考えますか。

孫 もっともらしい理由として、留学者数やＭＢＡの取得率が減少していることが挙げられますね。でもこれも馬鹿げた理論で、留学者数でいえばインターネットが普及していない時代と比較しても仕方がない。いまは日本国内からも、さまざまな情報や知見にアクセスできます。ＭＢＡにしても現在は、取得すれば世界のビジネスシーンで脚光を浴びるなんて話はありません。

日本でこうした議論がまだまかり通っているところをみると、やはり経路依存症というべきか、旧来のパラダイムに引きずられている印象を受けます。

――経済成長至上主義に対しては、欧米でもすでに懐疑的な見方が示されているのでしょうか。

孫 たとえばWorld Economic Forumではそうした議論が出てきています。アメリカでもロングターム（長期的）な売買しかできないような、流動性を意図的に遅くした株式市場が生まれていて、まさしく新しい動きがみえはじめているところですね。

――遅さの重要性に関しては、『遅いインターネット』（NewsPicks Book）を著した宇野常《つね》寛《ひろ》さんをはじめ日本でも何人もの識者が指摘しはじめていますね。

孫　そうしたパラダイムシフトは、気配がないときには「そんな時代が訪れるはずがない」と思いがちなのですが、少しずつ皆の心境に変化が起きて、いつしか共有されているものです。グラデーションのように境目のない変化と言い換えてもいい。そして、往々にして世代が交代することで完全に実現するものでもあります。

僕自身、Z世代の方々と話をすると、本当に学びが多い。彼らは消費者として大企業のものを買いたくないと語ります。理由を尋ねると、「環境に配慮していないから」と当たり前のように返してくる。ベジタリアンというわけではないけれども肉をあまり食べたくないという人もいて、「畜産《ちくさん》はCO_2をたくさん出しているから」というわけです。これは何も一人、二人の特異なケースではなくて、性別やバックグラウンドにも関係なく、多くの若者が話している内容です。彼らは五年後や十年後には消費のメインターゲットになるわけで、そのときに企業は自ずと変わらざるを得ません。そう考えれば、パラダイムシフトが起きるのは明白です。

――Z世代にとっては、それが「意識が高い」という話でもなく、普通の感覚なのが驚きです。

孫　価値観が転換している証拠です。たとえば、僕らの世代であれば自分の車で女の子をデートに誘うという価値観でしたが、いまの若者はまったく違う。男子も車をもちたいとは思っていないし、女子も別にそれを望んでいない。テレビにしても彼らは本当に観ている時間が「ゼロ」で、家に置いてさえいない。オリンピックも「結果だけみればいい」「ユーチューバーの解説のほうが面白い」などという具合です。なかなか僕らとは話が嚙《か》み合いませんが（苦笑）、しかしこれは良し悪しの話ではない。少なくとも、彼らの価値観を認識する姿勢をもたなくてはいけないでしょう。

社会課題の解決こそがビジネスになる

――そんなZ世代のスタートアップで孫さんがとくに注目する企業はありますか。

孫　Mistletoe が支援しているなかで、前田瑶介《ようすけ》さんが代表取締役を務めているＷＯＴＡ（ウォータ）という企業があります。前田さんは現在二十八歳なのでZ世代よりは少し上かもしれませんが、彼らは最先端のＡＩ水処理技術を用いて、一度使った水の九八％以上を再利用できる装置をつくっています。なぜそんなことが可能かといえば、使用した水を濾過《ろか》して再利用するまでをワンパッケージにしているから。二〇リットルほどの水と電気があれば、五〇〇回以上手を洗うことができます。

――それは凄《すご》い。昨今話題のスマートグリッド（次世代電送網）は供給側と需要側の双方から電力量をコントロールするという話なので、ＷＯＴＡの装置のような循環システムとは根本的に異なります。

孫　ＷＯＴＡの場合はいうなれば「オフグリッド」です。彼らがつくろうとしているのは、水道管などのインフラが必要のない世界。ＷＯＴＡは「人と水の、あらゆる制約をなくす」というミッションを掲げていますが、たとえば災害で上下水道が断水しても、思う存分シャワーを浴びることができる装置を開発しています。彼らの取り組みが進んでいけば、理論的にはダムや上下水道がなくとも、それぞれがＷＯＴＡの装置をもてば事足りるようになる。これは人類史上、たいへんな変革です。

――水道管などのインフラの維持は、とくに過疎化《かそか》している自治体のコストを著しく圧迫して大きな問題となっています。

孫　日本でも老朽化が進む水道は少なくなく、メンテナンスには莫大な費用が必要です。

水道は僻地《へきち》も含めて日本のあらゆるところに張り巡らされているように、まさしく最大のインフラです。これまでにかかった維持コストは数百兆円といわれ、これは六〇～七〇兆円の道路や四〇～五〇兆円の通信を凌《しの》ぐ数字です。

WOTAの取り組みは、そうした社会課題の解決につながるどころか、最終的には世界の水問題にも貢献できる可能性を秘めている。定期的に部品を交換する必要はもちろんありますが、装置を動かすのに必要なのは電気だけで、その場で発電さえできれば、安全な水を手に入れられない地域を救えるはずです。

——Mistletoe も支援しているとのことですが、孫さんはいつからWOTAに注目していたのでしょうか。

孫　かつて東京大学で起業家養成講座に講師として呼んでいただいたとき、学生だった彼らが僕の話を聴講して感銘を受けたようで、コンタクトしてきました。それ以来の付き合いです。当時彼らはある企業と共同開発していたものの、それが暗礁《あんしょう》に乗り上げて、自分たちで起業しようと考えた。そこで僕に連絡をして、「装置のプロトタイプをつくるためのお金を出してくれませんか」と頼んできたのです。ひとまず話を聞くと「結構お金がかかります」と繰り返していましたが、僕には想像もつきません。二、三億円くらいかかるのかなとイメージしていましたが、彼らが計算して弾《はじ》き出した金額は約八五万円。もちろん若者には大金に間違いありませんが、「いますぐにとりかかりなさい」と言いました。

日本には、彼ら彼女らのような若者が一人や二人ではなくて、たくさんいるはずです。だから僕たち大人は、その背中を押すように応援すればいいのです。もし失敗したとしてもそれを糧《かて》に「またチャレンジします」と言ってさえくれれば、それでいいじゃないですか。

――WOTAの取り組みは、世界が抱える課題の解決とビジネスを両立させうるものです。そんなスタートアップにこそ、お金を振り分けなくてはなりませんね。

孫　そのとおりです。現時点では、シリコンバレーにこのようなスタートアップは少ない。しかし社会課題の解決こそが未来を変えるだけでなく、収益にもつながるという認識はすでに浸透しはじめていますから、これからは急速に増えてくるでしょう。それでも、現時点で日本はこうしたスタートアップが生まれているのは紛れもない事実であり、彼ら彼女らを応援するのは僕たち大人の役割のはずです。

第五章

人の手で、生物多様性を拡張させる「協生農法」

——生物多様性の未来

写真：稲垣徳文

舩橋真俊

構成　古川雅子
（ノンフィクションライター）

ふなばし・まさとし　ソニーコンピュータサイエンス研究所（ソニーCSL）シニアリサーチャー。一九七九年生まれ。二〇〇四年東京大学獣医学課程を卒業（獣医師免許資格保持）。二〇〇六年同大学院新領域創成科学研究科複雑理工学専攻修士課程を修了。フランス政府給費留学生として渡仏し、二〇一〇年 École Polytechnique 博士課程を卒業（物理学博士）。二〇一〇年よりソニーCSLにて協生農法プロジェクトを立ち上げる。サステナビリティ、環境問題、健康問題の交差点となる農業をはじめとする食料生産において、生物多様性に基づく協生農法（Synecoculture）を学術的に構築。人間社会と生態系の多様性の双方向的な回復と発展を目指す。二〇二一年四月より株式会社 SynecO 代表取締役社長。

「食料生産を行う生態系」を設計する

私は、複雑系科学が専門の物理学博士号を持っている研究者です。

ではなぜ、「協生農法」というテーマを研究の軸に据えているのか、不思議に思うかもしれません。実験農園の様子をご覧いただくと、その理由の一端がわかると思います。協生農法の農園は国内外に点在していますが、どの農場も一見すれば混とんとしたジャングルのような様相を呈しています。皆さんが実際に訪れたら、そのこんもりとした景色に驚くかもしれません（写真1）。

野菜中心の畑なのにポツポツと果樹が植わり、その周りに野菜や花が植わり、茂る葉っぱをかき分けると時に苔やシダが顔を出し、下草がびっしりと絨毯《じゅうたん》のように土を覆っています。一つの畑に一〇〇や二〇〇種類の多様な植物を混ぜて密度濃く植えていく「混生密生」が基本のスタイルなのです。

従来の農学的な視点から慣行農法の収穫量向上を目指すような研究ではありません。私たちがメガダイバーシティと呼ぶ超多様な生物多様性とそれを支える土壌環境を「食料生産を

写真１　神奈川県大磯町にある、ソニーCSLの研究圃場

行う生態系」として作り、戦略的に管理するために、理学的視座から解析を加えるのです。多様性の高い生態系をマネージメントするには、大規模なデータベースやＡＩ（人工知能）を駆使した解析が必要です。科学とテクノロジーの力を借り、食料生産の環境づくりや生態系の構築に役立てようとしています。

時期によって隆盛してくるものが違っていて、例えば私が神奈川県大磯町で始めてソニーコンピュータサイエンス研究所（以下、ソニーＣＳＬ）の研究圃場《ほじょう》にもなっている畑なら、今年は春にわさわさと生えてきたルッコラが、夏に立ち枯れて種をつけ、その代わりに大豆やハッショウマメがよく育って畑を賑やかしています。長く居座っている植物もあれば、うたかたのように入れ替わり立ち替わり現れては消える植物もあります。毎年生えてくる草や育つ作物は変動しますが、継続的に管理すれば一〇〇〇平方メートルほどの畑に二〇〇種以上の有用植物で溢れかえります。そして私たちは、植物の多様化だけを考えているわけではありません。畑にやってくる多様な虫や鳥を受け入れます。複雑な生態系レベルで発揮される機能を重視しているからです。豊かな生態系を力強く循環させ、人が持続可能な形で有用な植物を享受できる世界を目指します。

複雑系科学に基づく農法

協生農法の大きな狙いは、食料生産を起点に持続可能な食・健康・環境の良循環を達成することです。人間活動によって都市化や農地転換などのさまざまな開発が進んできたわけですが、その分、生物の多様性は減ってしまいました。しかし、人口増加や気候変動をはじめとする環境問題やそれと連動している健康問題などに対処するためには、一種類の作物のみを管理して育てるモノカルチャー（単作）の農業をいくら効率化・大規模化しても解決しません。重要なのは、生態系と人間の健康を共に支えている生物の多様性を増やすことなのです。

従来の、モノカルチャーの農業は、植物単体が生理学的に最大の成長をするように環境を制御するものですが、協生農法は、多様な植物を混生密生させ、生態系が全体として進化してきた仕組みが十全に発揮された「生態学的最適状態」を目指しながら栽培します。まずは、高い生物多様性の畑を作りだし、そこに、人間にとっても価値のある有用植物をできるだけ多様に編み込んでいくという戦略を取ります。

生物多様性と生態系の機能が高く、同時に、経済的価値も取り出せる。私たちは、そんな理想的な生態系を丸ごと作り、管理していくことを目指しているわけです。そのために「複雑系科学」の解析手法やツールを使います。なぜなら、協生農法では、一か所に一〇種以上の有用植物が混在し、畑全体では何百種という植物を相手にしていくことになるからです。それらの「可能な植え合わせ」を考えていけば、膨大な数になります。協生農法で共存することができる生物種の組み合わせは、自然生態系で観測される多様性よりもはるかに多くなりうるのです。その全体の最適性を考えるには、現代の私たちが持ち合わせているコンピュータの能力を駆使し、膨大なデータベースやＡＩなどによる解析を通じて科学で光を当てていくという複雑系科学の手法が有効なのです。

協生農法は、自然の大いなるプロセスを強化する方向に人の力を加えて、さらなる生物多様性を生み出します。その上で、農業の生産性も上げるという画期的な農法です。それは、従来進められてきたモノカルチャー農業とも、人間活動の実質的な撤退を意味する「環境保全」とも一線を画する、全く新たなプロセスなのです。私は協生農法のように、人間が関わることで多様性や機能性が強化されて実現できる生物主体の環境を「拡張生態系」と表現しており、学術的にも定式化されています。

生命世界まるごとを知るために

協生農法はどのように誕生したのか？　それを知っていただくために、様々な学問を渡り歩いてきた私の学問遍歴について述べたく思います。

大学の学部では既に文理問わず様々な分野を渉猟《しょうりょう》していましたが、専門課程で研究活動の入り口となったのは生物学です。農学部で獣医学を専攻し、分子生物学を学びました。獣医学というのは、動物の医学であると同時に、解剖学から生理・生態そして発生から進化まで生物学の幅広い領域をカバーする学問で、私は最も微細な生物の部類であるウイルスの研究に携わっていました。学部の終わりに取り組んでいたのは、「ウイルスの持続感染の分子機構」です。

ただ、もともと私の問題意識としては学問領域の区分けとは関係なく、「生命とは何か」という問いがありました。幼い頃は昆虫少年で、学校や友人たちと遊ぶより、一人で草むらの生きものたちと触れ合っている時間の方が充実していました。求めていたのは、生物学ではなく、生命世界まるごとを知ることでした。ところが、大学で長年かけて生物学や分子生物学を学び、そこに私が求めてきた「生命とは何か」という問いへの答えがあるのかといえば、私にはそうではないと感じられたのです。

分子生物学の専門分野は、私から見れば、「生命」イコール「分子機械」というような解釈に収められる領域に限られ、極めてミクロの領域を扱っているような印象がありました。これでは、とうてい生命現象の本質には迫れないなというのが、私の直感でした。生物を細分化していく科学と、私が観ていた生命世界との間には大きな溝があったのです。

私が求めていたのは、細分化していく学問とは真逆でした。むしろ、生命は部分では捉えられず、生命同士が複雑に結びつく「多様な全体」と向き合う覚悟が要ると考えていたのです。私はジャンルの違う専門家と議論を交わし、ありとあらゆる書物を読み漁《あさ》るうちに、生物まるごとの世界を記述しようと思ったら、少なくとも複雑系の理学的な知見をベースとして生態系を捉えていく必要があるのではないかという考えに行きつきました。そこで、修士では数理科学、博士では物理学を修め、複雑系科学の世界に足を踏み入れたのです。

複雑系科学とは、一言でいえば、「間をつなぐ」科学です。学問にはそれぞれの専門分野というのがありますが、それらがバラバラに存在しても、物事全体の本質というのは見えてきません。専門分野が細分化している現代では、なおさらです。それぞれスケールの異なる細分化した専門分野の間をきちんとつなぎ、統合した知見を生み出していく学問が必要です。現象の全体性の中に潜む本質に光を当てるための手段として、当時数理モデルやコンピュータ科学の急速な発展に支えられて構築されつつあった複雑系の科学を使いたいと考えました。

私は、フランスの大学院に進み、複雑系科学を起点にした研究のテーマを探る中で、人類にさし迫る重大な危機にも目を向けるようになりました。ヨーロッパでは西洋科学の功罪として持続可能性に関する議論も盛んで、今後も続く爆発的な人口増加が環境破壊を引き起こし、地球史上かつてない速度で生物の大量絶滅が起きている現実を知ったのです。さらに多分野の論文や国際機関のレポートを中心としたリサーチを重ねる中で、単一作物を大量に栽培する農地への転換のために森林が伐採され、草原が焼かれ、露出した表土から海や川に土砂が流れ出し、表土の破壊を通じて陸域と水域両方の生態系が損なわれている悪循環を知りました。実際に、人間が住む各地の沿岸の海の中は低酸素の環境に晒《さら》され、海の中でも砂漠化が進み、生物が著しく減少してしまう場所が多く見つかっています。このままいけば二〇四五年には、自然がつくり出すきれいな水も空気も手に入りにくくなり、グローバル社会は混乱状態に陥ると、科学者たちは警鐘を鳴らしていました。

その一方で、フランスで最高レベルの研究機関に在籍し、世界中の複雑系関連の学会に出張して議論しても、周囲の研究者は問題を部分的に指摘するばかりでそれぞれの専門領域での実績作りに忙しく、本質的な解決法に真っ向から取り組もうとする人は誰も見受けられませんでした。私は本質的な持続可能性を実現することは、根本的に思考様式を改め、洋の東西を問わず文明基盤から変革を起こすぐらいの覚悟で取り組むべきテーマであり、科学者である以前に人間としての生き方が問われているのだと思うに至りました。

そんな模索を続ける中、具体的な研究テーマに行きつきました。それは、生態系を複雑系の視点で見ることで初めて可能になる、農業をはじめとする食料生産の変革です。これまでも農学では、数種類の植物を混生させるとバイオマス（生物体の量）が増えるという知見がありました。一方で生態学では、「共生」という概念があり、異なる生物種同士が一緒にいることで、それぞれに利益のある関係が無数にあると知られていたのです。

特に一種類の植物を植えるよりも、複数種が混在している方が総合的な成長量が増えるというのは興味深いと思いました。つまり、生態系が多様な共生関係を育み、外部との物質循環を含めて自己発展していくメカニズムを活用できれば、肥料を加えるといった人為的なインプットをしなくても、持続的なバイオマス生産が可能だということです。（実際はもう少し複雑で、共生だけでなく競争によっても多様性や生産性は増える要素がありますが、後述します。）これらの根拠から、多様性が高い生態系の関係性を拾い上げてデータ化し、食料生産を向上させるのに複雑系科学を使うマネジメントは、理論的に有効だと私は考えるようになりました。

「共生」ではなく「協生」と命名した理由

生物が多様にあることで持続可能性を担保できる食料生産の方法がきっとあるはずだと、学術的な考察から私は当たりをつけていたわけですが、私の頭の中にある理論と実践とが結びつくきっかけになったのが、三重県伊勢市の「桜自然塾」代表の大塚隆さんとの出会いでした。大塚さんのブログの発信から具体化のヒントを得て、大塚さんを訪ねて意気投合し、それからは大塚さんにコラボレーターになっていただきながら実験を進めました。

大塚さんは、元々はヤマハ発動機の創業者である、川上源一さんのボディガードを務めていた人で、ヤマハリゾートでは、東シナ海で調査ダイバーや辺境での釣りガイドなどにも携わっていたそうです。そうした離島でのリゾート開発の際に多様な生き物に触れ、時に厳しい自然と格闘することで、豊かな生態系のありようというものを体感として持っていたのでしょう。すでに独力で、生物多様性が高い状態を保ちながら持続可能な食料生産に通じる栽培法を編み出し、小規模に実践されていました。多様な果樹を配置して生態系の骨格を作り、同時に何十種類という様々な野菜やハーブの種を混ぜ合わせて畑に撒《ま》き、その中で密生しすぎた部分を間引きながら収穫するというスタイルです。私はその時、研究の緒《いとぐち》を摑むために様々な論文を読んで一つひとつパズルを組み立てており、生物多様性に基づく食料生産の一般原理に関しては理論的な全体像が見えていました。私にとっては、最後に残った「栽培法」という具体論のピースを大塚さんがはめてくれたという実感があります。大塚さんとは、今でも連携しながら協生農法のプロジェクトを進めています。

大塚さんは、離島やご自身の農場での豊富な経験から、立体的な視野をお持ちで、自然を多面的に活用する体験に根ざした実践的な知見を私に示して下さいます。対する私は、科学的知見を調べて生態学的にみるとこうなる、数理モデルを交えて物理学的に分析するとこうなる、といったより一般化された知見や科学的な整合性を考える。そんな関係です。すると、大塚さんの答えと私が科学からたどり着いた答えとが、ぴったり合うということがあるのです。そんな時は、実験して検証するに足るレベルの理論的知見だろうと推定できる。科学、特に物理学においては理論があって初めて観測ができるわけですから、そこで初めて栽培実験などの観測にかけてみて、理論的な解釈に基づいた定量的なデータが得られる。相違点があれば、人間の経験が不可避的に影響を受ける主観的バイアスなのか、逆に科学が一部分しか取り扱っておらず全体の秩序として捉えられていないところがあるのではないかと再考する。こんな風に理論と実践を突き合わせ、組み合わせていきました。

私たちが日々改良、実践しているのは、「周囲に開かれた生態系全体の働き」によって植物を育て、収穫することを狙いとする新しい食料生産の形です。私はこのアプローチを、「協生農法」と名付けました。

あえて「共生」という文字を使わなかったのはなぜか。共生は、「共に生きる」という意味であり、協生農法が持つような懐《ふところ》の深い関係性をぴったりと言い表せないと考えたからです。自然の生態系における関係性は、いつでも「共に生きる」とはいかない場面も多くあります。「捕食者－被食者（食べる－食べられる）」という関係の場合、一方が食べられて損をしてしまっており、共生とは言えないわけです。自然の中には厳しい競争の世界も存在しています。ただし、たとえ損をする個体が生じたとしても、全体としては生物多様性が高まり、食料もその中で育ち、結果として環境が多くの生物にとって良くなるというのが生態系の仕組みです。食べられてしまった種も、全体としては大きな協力をしていることになり、生態系の発展に貢献していると言えます。人間を含めた個々の生物種が、結果として協力して生きているという深い意味合いを込めて「協生」という文字を選びました。ですから、従来の農法では農薬で殺されていた虫も、協生農法の輪の中では、捕食者でありながら、同時に生態系の中で他の役割を持っている協力者として扱うのです。むしろ、従来の農業では邪魔者扱いをされていた虫や雑草などを本質的に排除することなく、それらの役割を十全に発揮させるのが協生農法なのです。

発祥一万年目の農業の再定義

今、世界に広がっているのは、ほとんどがモノカルチャーの農業。ジャガイモだけ、あるいはタマネギという風に、ひと所に一種類ずつを植えて収穫しているスタイルです。一種類の作物をきちんと収穫するために、耕して土壌環境をリセットし、化学肥料や農薬を使って管理します。農業の発祥から一万年以上が経過し、徐々に発展してきた中で、ここ一〇〇年ほどで農業は極めて細分化し、強力に企業活動としての効率化が進められました。有用な植物を選《よ》り分け、それが単体で最適に成長するような環境を作ることで収穫量を増やしてきたわけです。緑の革命と謳《うた》われたように、地球上から飢餓を無くす上では非常に効果があった方策だったと思います。

ただ、一度出来上がったモノカルチャー産業の効率化や維持のために、常に肥料や農薬などの物質資源を投下することが前提になっていきました。従来の農業は、今まである環境（生態系）を壊して生産性（食料）を取り出す考えの上に発展してきたわけです。ですから、農地を増やすほど自然の循環を壊す結果にもつながりました。

生態系を構成しているのは、個々の植物であり、その恩恵を受ける動物であり、それらを分解して再生産サイクルを回す微生物たちです。生態系を健全に守るためには、いろんな生き物が共存していて、食べたり食べられたりという側面を無視するわけにはいきません。競合を含みつつ、多様性が全体を作っているのです。生き物が多種多様にあること、つまり生物多様性が高い状態を維持することが、長い目で見た時に結果的に地球全体の食料生産を豊かにすると私は考えています。

生物が全体として、多様性の中で生き延びて来たサイクルを軸にして農業を再定義しようというのが、協生農法のベースにある考え方です。それに関わってくる社会や生態系のマネージメントに複雑系に根差した考えを広げていけば、生物多様性と生産性を相乗的に高め合うことができると考えました。

協生農法は、圃場の持つ多様性や生産性の関係においていわゆる自然農法とも異なります。協生農法の場合は、樹木、草本、昆虫、動物などを含めて極めてダイナミックに時空間と多様性を総合的に活用するところがポイントです。自然の生態系の働きに注目し、適宜《てきぎ》、複雑系として発展する性質を生かしながら人為的に助力することで生物多様性を圧倒的に高める方向に仕向け、地球全体として生命圏をより豊かに発展させる形で食料生産を向上させようという戦略を取った農業ということ。そこが、今までなかった視点であり、発祥一万年目の農業に対する、私たちの新しい提案なのです。

協生農法の威力——ブルキナファソの「奇跡」

伊勢市の大塚さんの農園では、近辺の慣行や有機の農園に比べ、販売量に対するコストが低く済んでいたので面積当たりの収益性が倍以上ありました。最も注目に値するのは、もともと慣行の水田で植生が全くなかった場所に、一年もすれば周囲から多くの生き物が訪れる楽園となるような生態系の豊かさを構築できたことです。一〇〇〇平方メートルの畑に、二五〇種以上の植物が混在していました。短期間で桁違いに生物多様性が増す農法です。私が過去に研究で訪れた範囲だけでも、一〇〇〇種以上の昆虫や植物が各地の協生農園と周囲環境で観測されています。なかにはそれまで見かけなかった絶滅危惧種の昆虫が観測された例もあります。

この農法は、無耕起（耕さない）、無施肥（自然循環の中で供給される有機物と必要に応じた灌水のみによる栽培）であり、種と苗以外一切持ち込まないという、植物にとって一見厳しそうな条件を課しています。こうした制約条件を設けているのは、生物多様性の増加による生態系機能の促進によってバイオマスを増やし、必要な養分は表土で起きる循環を通じて賄《まかな》う形で解決しようとする試みだからです。

ですから、作物を作り始めるのは、普通なら農地にはなり得ないような場所でも構わないわけです。それでも生態系が自律的に発展する条件が揃えば作物は徐々に成長します。私が最初に実験を始めたのは、砂利のガレキで埋め立てられた所で、土はカッチカチ。全く植生の無いような場所でした。ツルハシを振り下ろすと、火花が散るほど硬い土地でした。それが二、三年もすると腐植が混ざった黒土ができ始め、草もよく生えて、五、六年目から果樹も急に成長を加速し始めます。私は生態系の立ち上がる様《さま》を実験の場で直に見ることができ、総合的な視座で理論の正しさを検証する機会が得られたのです。

協生農法が最も特徴的な威力を発揮するのが、放置していてもあまり雑草が伸びなかったり、暑さや塩害でモノカルチャーが難しい乾燥地域など、従来ならあまり農地に向かない厳しい環境の場所です。

砂漠の緑化にも、部分的には成功しています。私が協生農法を広めるために世界各地で講演したところ、食料・環境事情が一番深刻な地域のＮＧＯから、「協生農法を試してみたい」

とオファーがありました。サハラ砂漠南に位置するブルキナファソという国です。二〇一五年から実証実験を始めて、わずか一年で、砂漠化したカチカチの土地が熱帯のジャングルのような豊かな生態系に変身してしまったのです（写真2）。理論的に予想していたとはいえ、この変貌ぶりは予想を一桁二桁上回る結果であり、実験を取りまとめていた私自身、驚きを隠せませんでした。

現地では、他の農法も含めて実証実験を並行して進めていました。その中でも、協生農法による売り上げがひときわ大きく、ブルキナファソの平均国民所得のおよそ二〇倍にまで達したというのです。

さらに生産性に関しては、途中でテロリストの襲撃など様々な困難があったにもかかわらず、五〇〇平米の実験農園から実際の販売収益で、慣行農法の基準の五〇～二〇〇倍にも上りました。この実験は金銭的なバイアスを避けるためにスタートに際してソニーCSLからは一切の出資をせず、情報提供だけで当初の成果が得られました。

私は日本での実験結果から、人為的な要因で砂漠化の危機に瀕する地域で農業を行うための打開策として、協生農法は決定打の一つになると理論的に予測していました。それでも、実際に実験を行い、予想を上回る成果が出て来たのには驚きました。理論をしっかりと構築

写真2　ブルキナファソでの協生農法の実証実験

した上で、極限的な環境で実験して未知の現象を観測するのは、素粒子物理学などでもよく使われる手法ですが、そのような科学の発展図式が複雑系として見た協生農法の生態系においても成り立ったのが面白いところです。

オープンシステムで研究を行う意義

協生農法を発展させ、実践していくために、私はソニーCSLが提唱してきた「オープンシステムサイエンス」という方法論を採り入れています。これは、もともと学術的にある複雑系の考え方に、現実世界が持つ様々な不確実性や観測上の制約を考慮した上で有効な知見を構築していく、実践的な科学の方法論です。

科学は、元来は現象を説明する上で最も簡明な言語体系へのリダクショニズム（還元論）がベースですが、部分的な要素だけに囚われると要素還元論と呼ばれ、専門領域に閉じた部分解しか出てきません。研究領域を最初から固定せず、目的に応じて領域を広げながら研究し、全体とつながったシステムのレベルに還元できる有効なマネジメントモデルを構築するのがオープンシステムサイエンスの方法論であり、私自身も協生農法に取り組みながらそうしたアプローチの有効性を検証し、発展させているところです。

ひと言で、「オープンシステムサイエンス」とは何か？　と問われれば、私は「実在と関わること」と答えます。現実の生態系をマネジメントする、あるいは、環境問題や食料生産の課題を解決する、といったダイナミズムのある課題に向き合う場合、実験室内で行う実験だけでは測りきれず、またどんなに高性能なコンピュータによるシミュレーションでも表現しきれていない、たくさんのブラックボックスが含まれている現実と向き合わざるを得ません。そうした複雑な現実の中で、「仮にどこを区切ってマネジメントしたら、求めている知見が現れるのか」というアプローチを、たゆまず続け、現実とずっと付き合っていく。オープンシステムサイエンスとは、そんな立ち位置で進める科学手法です。

私は一九七九年生まれで、ミレニアル世代のはしりです。ちょうど学生の頃からインターネットに触れ始めた世代でもあります。ネット上に展開される大量の情報が生活を支え変えていく価値になる様は身をもって経験していますから、それまでの企業囲い込み型のブランド戦略とは全く違うオープンソース形式の考え方にも抵抗感がありません。私とはほぼ一歳違いのオードリー・タンさんは、台湾のデジタル担当政務委員を務めていらっしゃいますが、コロナ禍のマスク行政でシビックテックに関わる市民パワーを活用していました。私たちの世代は、はじめからプロジェクトをオンラインで公開して、いろんな人を巻き込み、オープンソース形式でプロジェクトを運営する方が、マンパワーも才能も集まると感覚として知っているのだと思います。ただし、公共の利益に開かれた形で試行錯誤しつつも、根本的な理念は安易に変えません。

私は「協生農法実践マニュアル」という農法のいろはを伝える冊子をオープンに提示して広く実践者に活用してもらい、専門的な検証が必要になる学術的な知見に関しては逐次最新の情報を論文にして公開しています。知財に関しては、将来的に事業化を推進していく会社の役に立つ形で特許として押さえ、人類・社会に無償で貢献すべきオープンな部分と、持続可能な社会への転換を目指す文脈での企業利益や個人情報などの観点からクローズドとして保護していく部分とを区別します。

オープンソースの強みは、研究者の中だけで閉じて研究した場合には決して出てこないような知見と遭遇できる点です。その得難い知見を逃さずに吸い上げることができるか否かは、データベースの有用性とも直結しています。有効で新規性のある知見は、一見、なんでもないような場面に立ち現れるからです。

以前、こんな出来事がありました。私の実験農場には、たくさんの訪問者がいるのですが、ある日、小学生が訪れ、東京の小さな実験農場にアボカドの種を植えていきました。私には当時、アボカドのような亜熱帯の植物を東京で植えようなんていう発想はありませんでした。その種を放置したところ、発芽してみるみる成長し、一・五メートルの高さにまでなったのです。ちなみに調べてみたのですが、アボカドの木の葉っぱは、お茶として活用できるとのこと。食用以外でも有用性があり、さらに種子が大きくて成長力が旺盛なため、生態系の構築に積極的に活用できる植物でもあるのですね。

人の持つ多様性によって科学者の思い込みの壁を越えられるところに、オープンソースとして展開する強みがあり、またそのような多様な知見をリアルタイムで統合していけるところに、オープンシステムに基づくサイエンスが広げられる豊かな可能性があるということを、このような事例を通じて日々学んでいます。

経済活動と自然資本をどう連動させるか

私は、協生農法というテーマを掲げることは、生物多様性の未来を築くことであり、同時に、環境問題や食料生産の課題を解決していける方法だと捉えています。従来の農業では、なかなかそれができません。なぜなら、農業が他の工業などと同様にドライな経済活動の範《はん》疇《ちゅう》に収められ、生態系が持つ様々な自然資本としての価値が無視されているからです。

私は現行の農業と区別するため、協生農法を「自然‐社会共通資本」を生み出す食料生産活動と位置付けています。この考えの前提になっているのは、「社会的共通資本」という概念です。ノーベル経済学賞にいちばん近い日本人とも言われていた、宇沢弘文さんという経済学者が提唱されました。世の中には、市場における需要と供給の対象になる価値と、市場に一元化されない社会共通の価値があり、後者を生み出す存在を社会的共通資本と見なす、という考え方です。

宇沢さんは、社会に共通の資本として、まず、大気、森林、河川といった自然環境を挙げました。道路、交通機関、上下水道、電力・ガスなど社会的インフラもそうです。教育、医療、司法、金融制度など制度に下支えされた資本も加えられます。宇沢さんは、人々が生き生きと暮らすためには、これらを社会に共通した資本として、国や地域で守っていくことが重要だと考えていました。

私はさらに、宇沢さんの業績以降に急速に進んだ生態系機能や生態系サービスに関する知見を取り込んで、生態系の拡張とも連動した資本概念を考えました。社会的共通資本の源泉になっている様々な生態系の恵みに加えて、拡張生態系を含むより広範囲な自然資本とそれらの自律的な再生産過程を統合して、「自然－社会共通資本」というあり方を提唱しています。生態系を生み出し維持するもの（土壌をはじめとする自然そのもの）を「自然資本」と捉え、社会的共通資本と連動させたうえで、拡張生態系の構築を通じて相互の持続的な発展を取り持つ経済活動のサイクルを回していくことができたらと考えています。

例えばこれまで自然任せだった自然資本の再生産に、食料生産をはじめとする人間活動が積極的に関与し、自然と社会の相互循環と発展にとって、共通して価値のある財やサービスを形成すること。そうした価値づけをしていくために、協生農法を社会の中に根づかせていきたいと思っています。

持続可能な文明へ転換するには、自然と社会の相互の資本が相乗的に高い状態で循環するような経済システムが必要です。自然資本を一方的に搾取し、社会の中で回していくだけでは、いずれ深刻な自然環境の劣化を引き起こし、逆に「自然保護」を謳って自然資本を利用しない方向性に向かうと、増大した人口を養うことができなくなります。自然が持つポテンシャルを引き出し、いかにして持続可能な形で経済と連動させていくかが重要になってきます。

価値ある財やサービスを生み出すために、今、コミュニティづくりに力を入れています。ITにおけるシビックテックのように、オープンソース形式で成果が人類全体に還元されることで、モチベーションの高い人材を惹きつける場になるのではと期待してます。

協生農法にはいろんなあり方があっていいと思います。各地の家庭菜園で実践されている取り組みも、自給率や消費者意識の改変に草の根から貢献します。プロ農家として、兼業も含めて地域創生に資する企業活動として位置づけることも一つ。あるいはアフリカのサブサハラでは、ブルキナファソでの実践から派生したマリやトーゴなどの国家プロジェクトのように、国や国際機関が率先して舵を取り、地場産業と連携しながら発展させ社会格差の解消をめざす大規模な活動も生まれています。

生態系を豊かにしていくという本質的なテーマをどう担保していくか、それを下支えするコミュニティをどう発展させていくかというのは私にとってチャレンジングな課題であり、私が所属するソニーCSLだけの力では賄いきれません。様々な社会的主体が参画できるコンソーシアムのような形で国内外のネットワークを作り、社会を包み込む「自然－社会共通資本」のアーチを長期的に実現したいと考えています。

自然保護と開発の間の断絶を埋める

協生農法が生態系を拡張するアプローチであることは前述しました。自然に寄り添いながらも、これまでにない形で機能性の高い生態系をつくり、「人の手で」より高い生物多様性を実現するところがポイントです。生物多様性が損なわれていることに起因する様々な問題に対処するために、「食料を生産すればするほど」「人間が社会的活動や産業活動などを行うほど」自然環境や生物を豊かにしていくことでこれまでの人間活動による環境負荷をプラスの環境価値に転換していくという、ポジティブな発想が根底にあります。

従来の自然保護のアプローチとの明確な違いがこの人間の立ち位置の転換にあります。自然保護は、あまりストイックに進めていくと、人間を阻害してしまうところが問題です。自然保護の背後にある理念を際立たせると、どうしても、「あなた（人間）は自然にとって害悪だから、退場してください」ということになってしまいます。拡張生態系の場合はそうではなく、生態系としても機能性が高く、人間側から見ても望ましい多様性というところにゴールを置いています。

私はこの人間活動が秘めている将来的な自然価値を人類史的な観点から打ち出すために、「拡張生態系は文明装置だ」と常々言っています。都市部への資本の集積が様々な文化や科学の発展を支えた文明装置であったように、自然－社会共通資本を実現する鍵となる拡張生態系は、人類社会の持続可能性にとって本質的な文明装置であるという認識です。

もちろん、拡張生態系で保護しうる範疇に入ってこないような絶滅危惧種の生物については、保護区をつくるなど特別な手段を講じればいいわけです。現時点で問題なのは、自然保護（人間排除）と人間の開発（自然環境破壊）の間に、あまりにも大きな断裂があるということではないでしょうか。保護と開発のトレードオフで袋小路に陥っていた環境問題を、より全体的な機能性まで視野を広げて保全と開発のシナジーに振り向ける文明活動。それこそが拡張生態系の試みであり、農業の発祥以来一方的に自然破壊に邁進してきた人類にとっての全く新しいパラダイムなのです。

生態系の拡張を目指す協生農法は、食料生産のみならず、環境構築にも貢献できます。一番インパクトが大きいのは、農地（土壌）の環境改善です。今、国連の会議等で世界的に警告されているのは、農業による土壌劣化や砂漠化です。既存のモノカルチャー農業は、耕すことで土壌を劣化させ、土中の炭素を空中に放出し、地球温暖化を加速させます。土壌が吸着しきれないほど撒かれた肥料からは窒素、リン、カリウムを含む富栄養成分が大量に染み出し、地下水を汚染し、やがては河川、沿岸の海域を汚染します。つまり農業は、食料生産と引き換えに大規模に物質循環を攪乱し、生物多様性を減少させているというのです。

世界では、人口増加と農地の拡大によって、ほぼ手付かずの自然は急速に失われていきます。一方で、都市近郊の大多数の農家が、小規模の食料生産を行っています。であれば、農地（土壌）の環境を改善する拡張生態系のアプローチが最も有効な手立てではないかと私は考えます。自然－社会共通資本を前提に拡張生態系を組み込んだ開発計画によって、今後人口が増えても、それに釣り合う食料や自然資源を生み出す生態系を生活圏の近くに構築することができるはずです。

特に、東アジアは、小規模の食料生産が盛んな地域です。例えば、インドネシアには、小さな島が点在していて土地の制約があり、モノカルチャーの効率化を前提とする慣行農法を広げようとしても限界があります。そもそも、肥料とトラクターを各島に配備できないのです。

海と隣接した島嶼部《とうしょぶ》での農業は、肥料成分を多く含んだ地下水が、すぐさま海を汚します。やがて、サンゴ礁が死滅します。サンゴ礁は、地球上全ての海洋生態系の四分の一ほどの生物種と関わり合いがあると言われるぐらい、生物多様性の宝庫です。東アジアにおける小規模生産の農地から持続可能な食料生産を提起し、世界に先駆けて新しいパラダイムの農業スタイルを根付かせるという方向性は、地域性を考えれば十分に有効でしょう。

温暖化が直接の脅威ではない

人口増加に伴い、人間の居住地域が増え、都市化で土壌がコンクリートで覆われれば、たちまち生物多様性が失われます。協生農法が環境構築に貢献できるテーマとして、農地改良に続き第二に挙げられるのが、都市の緑化です。

ソニーCSLは、高層ビルが立ち並ぶ東京の六本木ヒルズのビルの屋上で、協生農法や拡張生態系に基づく実証実験を行っています。ミッションは、「様々な生物が循環する生態系ネットワーク」を都市部に実装するということ。やみくもに緑を増やすのではなく、協生農法の考え方を導入しながら、都市における有用な関係性を孕《はら》んだ形で生物多様性の促進を目指します。

屋上庭園の周囲は、見渡す限りコンクリート。さらに、強風が吹きさらすこともあります。そんな環境でも、豊かな生態系を育《はぐく》めることが証明されつつあります。私たちが配した植物や果樹の数は、複数配置したプランターには一〇〇種ほど。露地栽培型のミニ農園には二〇〇種ほど。いずれも四季を通じて表土を覆い、「こんもり」した密生状態を維持しています。

世界においても、都市部における自然環境の重要性はますます認識されつつあります。現在、世界経済フォーラムは世界中の有識者を集めて、二〇三〇年までに都市計画が積極的に生態系の構築に参与するような、ネイチャーポジティブソリューション（Nature-Positive Solutions）と呼ばれる取り組みを始めています。私も、その委員会に参加しています。そうした世界的な動きにも、協生農法、拡張生態系といった考え方が生かされて来ています。さらに、自然環境の中で、世界中でモニタリングすべき対象というのも、今後増えてくると予測できます。

今、世界で盛んに計測され、警告が発せられているのは、二酸化炭素に代表される温室効果ガスです。けれども、本来、モニタリングしなければならないのは、むしろ生物多様性がどの程度増減しているかということではないかと私は考えます。温暖化自体が直接の脅威ではないのです。温暖化の最大の問題は、生物多様性が急速に失われ、人がこれまで依存してきた自然資源へのアクセスができなくなったり、不公平が生じることでしょう。気候変動の直接の脅威として挙げられている異常気象による災害の頻発も、生物多様性が大幅に失われる形で行ってきた治水工事や植林のあり方にも大きな問題があるのです。逆に言えば、生物多様性の増減をモニタリングしていけば、地球環境破壊の本質的な深刻度は直《じか》に見えてきます。

今、地球には、生命史上六度目の大絶滅が迫っていると、多くの生物学者から警告が鳴らされています。二〇四五年までに、地球生態系の全体が非可逆的に崩壊するとも言われています。近年の異常気象や水資源の不足、新型コロナウイルス感染症の流行などの現象は、急速に生態系サービスが失われつつあることの反映でもあります。

かつての大きな絶滅は、主に自然要因でした。天体現象や火山活動で七割以上の生物種が絶滅したという事象。さらに言えば二十五億年以上前、植物の祖先であり葉緑体を持ったシアノバクテリアが、光合成をはじめて酸素濃度が高まった影響で、それ以前の嫌気性原核生物が大量絶滅したという事象。そして地球史上三回はあったと言われる全球凍結。こうした地球規模で生命圏の様相がガラリと変わるイベントは、有史以前からたびたび起こってきたのです。自然要因の破壊の場合、変化のスケールは桁違いに大きいのですが、我々から見れば非常に緩慢な速度で進行します。

それに対し、人間が起こす破壊の場合、変化のスケールは自然による大規模な環境変動の足元にも及びません。けれども変化のスピードは、凄まじいものがあります。人間は、自分たちの首を絞《し》めるには十分な規模で負の影響を生み出してしまう生き物なのです。

ですが私たち人間は、強い影響力を持っている分、新たに適切な社会システムを構築することで、環境変化を再生や拡張の方向に振り向けることができるはずだと考えています。次節でそのアイデアについてお話ししたいと思います。

科学が「持続可能な社会の番人」になる

拡張生態系を支えているのはサイエンスです。私はサイエンスを、司法、立法、行政に続く「第四の権利」に位置付けることで、私たちが依って立つ民主主義の仕組みをアップデートできるのではないかと考えています。

民主主義の根本原理である、司法、立法、行政権の三権分立は、約二百七十年前にフランスのモンテスキューが打ち出した概念です。専制君主制から共和制に移行する過程で、権力の独裁を防ぐシステムとして考案されました。当時の独裁的な権力社会に比べれば、基本的人権という観点からは今はよっぽどましな社会になっているはずです。ただ、このよっぽどましになったはずの社会でも対応しきれなかったのが、環境問題であり、経済成長に伴って増大する社会的格差の問題でした。では、これらの社会課題に待ったをかけ、いい動きを加速させる機能は誰が担うのか。私は、第四の権利として「持続可能な社会の番人」である科学がその役割を担っていくと思っています。

拡張生態系は、環境問題と社会的格差の解消の双方に対応できる可能性を秘めています。環境問題への対応については、先に述べました。格差の解消につながる萌芽も、すでにあります。ブルキナファソでの実証実験の結果は、貧困や砂漠化に苦しむ人々の生活圏で、自律的な経済圏が構築できるレベルの食料生産ができる可能性を示唆しています。すると、食料問題ばかりか、人々が生産手段を得て経済にも参加できる機会が生まれます。現状ではテロリズムの温床となっている貧困の解消にもつながるかもしれません。

私が科学が第四の権力になることを有望視する理由は、食料生産の民主化がその皮切りになると見ているからです。

民主主義の設立は困難を極めましたが、一度成立してしまえばそれを制度として破壊するのは難しくなるように、仕組みさえ整えば、食料生産への市民参加はいとも簡単に実現します。既に小規模で実践されている例としては、各地で意欲的に営まれているコミュニティガーデンがあります。

参加者の職業や生活条件に応じて、関わる度合いは一%から一〇〇%まで、それぞれの希望で選べばいいわけです。関わる度合いが数パーセントだったとしても、ひとたび食料生産に関われば、その意思決定に関与できます。

食を支える生態系が社会共通の資本だという考えが社会に浸透すれば、コミュニティガーデンのような自由に使える土地が社会のインフラになり得ます。都市の緑化で、身の回りのあらゆる場所が、食料生産の拠点に変容していくかもしれません。実際に北欧の都市には、街路樹になっている果物を市民が自由に収穫して良いという法律があったりします。そうした場所で、例えば自分が作りたい大豆を好きな時に自分で作れるという仕組みが整えば、食にまつわる新しい選択肢が生まれます。便利だからと、スーパーで遺伝子組み換え大豆の豆腐を買う選択をするのも自由。「今日は自分で作った大豆で料理して食べよう」と考えるのも自由。何らかの形で食料生産にコミットすることにより、食にまつわる自由意志が反映されるわけです。

食は人を構成する最も根本的な要素ですから、科学が客観性を持って明示的に食料生産を下支えすることで、人の自由意志に基づく集合的意思決定の及ぶ範囲が拡張すれば、その社会の文明は一歩前進する――私はそんな未来に希望を託しています。

「番人」の担い手は、一人ひとりの市民。例えば、司法、立法、行政の三権が新しく制定された法律を通したとしても、科学の知見を得た市民が「持続可能性の観点からノー」と言うことで、阻止力になりうるわけです。そのために必要な健全な集合知の形成をサポートするテクノロジーも、インターネット技術を用いたシビックテックで急速に発展しつつあります。科学に下支えされた「食の民主化」も、持続可能性の番人を担う集合知を育てるシチズンサイエンスの一つの柱になっていくと思います。

植物に学べ

人が喧嘩《けんか》や戦争状態から抜け出す手段を問われたら、私は「植物に学べ」と言います。

生態系の中でも植物は、本当に見事なものです。植物は自分が動けない分、時に、毒などの有害物質を出して他の植物を枯らすようなこともします。それでも、植生全体の多様性を根こそぎにしてしまうようなことはしません。ミクロで見ると喧嘩をしているようでも、どこかの段階では手をつないで協生していて、全体としては豊かな生態系を支え、発展させます。生物学的に言えば、「植生遷移」という言葉で表せます。最初は荒地だったところに草が伸び、そのうち鳥が実を運んで木が育ち、いつの間にか森林になる。そんな風に、生態系が自分の力で発展していく大自然のプロセスです。複雑系科学でいう「全体最適」が達成されていきます。

それに対して人間社会では、「集団の利益」をおざなりにした「個の利益」同士の対立が絶えません。個の欲望が集団の規範を飲み込む事態にも発展しています。大きな資本を握った先進国の一部の起業家や投資家が、国家を超えて世界の資本の大部分を占有してしまっています。貧困層は隅に追われ、勝者に都合のよい条約や法制度も追い討ちをかけ、そこから抜け出せない社会の構図があります。

私は全体最適をゴールとする協生農法や拡張生態系というアプローチこそ、そうした社会の格差を解消する上で万人が手にすべき手段になり得ると考えています。

グローバル経済が加速し、化石燃料は枯渇しつつあり、人間が環境破壊をし尽くした結果、地球レベルで全体最適を考えることは、もはや必然なのだという意識が生まれました。

それと同時に、人は全体最適を考えられるだけの想像力というものも手にしたわけです。世界の各地で多発する異常気象の現象がリアルタイムに映像として伝わり、全球規模での環境負荷がデータとして可視化され、私たちの想像力の視野角は広がっているのです。私たちは広範なデータを意味づけて統合できる、複雑系の科学やAIという手段も手に入れました。全球規模で想いを馳せるだけの、科学、テクノロジー、思考能力を新たに獲得したわけです。

グローバリゼーションが極度に進み、余程の僻地でない限りどこでも電気が使え、世界の隅々で同じファーストフードが食べられるような社会で私たちは暮らしています。けれども今後は、全体としての最適を探る中で、「この地域ではグローバル企業の支店を増やすより地場産業を盛り上げる方が豊かに暮らせるね」「石油を大量に燃やして海底ケーブルで送電しなくても、小規模分散型の自然エネルギー発電で、島全体の電力が十分に賄えるね」というふうに、社会にも多様性を取り戻していく時期に差し掛かっていると感じます。画一性ではなく、より個々の特性を活かした多様性を基盤とする中で、全体最適性をゴールに据えることがトレンドになっていくはずです。

地球全体への想像力が広がり、部分の対立さえも意味があると捉えられる感性が備わると、社会の許容度がぐんと高まります。「全体最適」には、世界平和のような空間スケールでの達成だけでなく、持続可能性という時間スケールでの想像力も含まれます。今後はサステナビリティを複雑系やオープンシステムの視点からきちんと捉えるという視点が、社会においてますます重要になるでしょう。

人間が賢く振る舞うためには、生態系に対するリテラシーを高めるのが一番の早道。なぜなら人間は動物の中でも特異に脳を発達させた存在として、自己中心の部分最適を考えるのは得意である反面、生態系が驚くべき精巧さで実現している全体最適に関しては、様々な経験や努力を経て初めて獲得できるものだからです。生まれつきの本能だけでは辿り着けず、多くの人々や他の生物と協力して生きる経験から獲得できる叡智があるとしたら、宇宙から見た場合にはそれこそが地球上で人間らしさを特徴付ける最たるものではないでしょうか。我々のように小賢《こざか》しい脳を持っていない植物は、知ってか知らずか人類が生まれる遥《はる》か昔に覇権を握って以来、地球生態系の全体最適を守り続けてきた同胞です。世界各地で起こる対立や格差を動物的なエゴの上下関係で表すとするなら、植物が生きている世界はそのような個々の対立を超えて、ぐるりと丸く地球を覆う環境全体を呼吸する中で、上も下もない円の形に統合された完全性があることを静かに指し示しているように思います。私が「植物に学べ」と言うのには、そんな意味が込められているのです。

第六章

西洋近代に未来は築けない

——西洋と日本の深層意識

佐伯啓思

構成　Voice 編集部
（水島隆介）

さえき・けいし　社会思想家。京都大学こころの未来研究センター特任教授。京都大学名誉教授。一九四九年、奈良県生まれ。東京大学経済学部卒。東京大学大学院経済学研究科博士課程単位取得。広島修道大学商学部講師、滋賀大学経済学部助教授、京都大学総合人間学部教授、京都大学大学院人間・環境学研究科教授を経て現職。サントリー学芸賞、読売論壇賞、正論大賞受賞。近著に『経済成長主義への訣別』（新潮選書）、『近代の虚妄　現代文明論序説』（東洋経済新報社）、『さらば、民主主義　憲法と日本社会を問いなおす』（朝日新書）、『「保守」のゆくえ』（中公新書ラクレ）、『死と生』（新潮新書）などがある。

人間の意識の三層構造

「東京２０２０オリンピック」は二〇二一年の七月から八月にかけて開催された。コロナ禍《か》での無観客という変則的な開催であった。それは別としても、今回の東京オリンピックは国威発揚をともなった祝祭的意義を当初から持ちえたかというとかなりあやしい。一九六四年の前回の東京オリンピックとは異なり、すでに日本には、社会が目指すべき方向という共有された未来イメージは失われていたように思われる。

したがって、もとより「ポスト五輪の社会構想」というほどの関心は今日《こんにち》の日本社会にはない。これも当然のことであろう。とはいえ、コロナ禍の方はといえば、世界的規模で考えれば、いずれ終息の局面へと移行するとして、「コロナの後の世界構想」はきわめて重要な問題となる。だが、果たして、われわれはコロナ後をどのように考えればよいのだろうか。

私は人間の意識をさしあたりは三層構造で捉えたい。一つは表層意識。これは、目の前で起きている現実に即して具体的な関心をもち、対処し、時には政策的議論に関与する意識である。もちろん、この現実の具体的問題に対処するには、それなりの思考の枠組みが必要で、その思考の枠組みまで含めて表層意識と言っておきたい。

だがこの表層意識をもう一つ踏み込むと中層意識があり、ここでは表層意識の思考の枠組みを可能とするような、半ば無意識的な（あるいは半意識的な）発想や習慣化された思考（思考習慣）がある。それは、具体的な目前の現実よりも、少し長いスパンを展望して多少抽象的なかたちで問題を捉えるような意識である。

もう少し具体的にいえば、表層意識は「現代」、中層意識は「近代」についての価値や思考といっておきたい。それが何を意味するかは後に述べるとして、この二つの背後にさらに三つ目の意識がある。それが深層意識で、普段は意識しないが、何かの拍子に表出する、心のなかの底流をなす一種の伝統や思考習慣、あるいは持続する潜在的価値とでもいうものだ。「伝統」といっておいてもよい。自然観や死生観、宇宙観などが深層意識に含まれるであろう。

解決不可能な問題の源泉

通常、われわれは表層意識において具体的な課題に関わっている。いわゆる論壇誌のテーマは、往々にして表層意識の問題に偏りがちだし、政策論議もおおよそそうだ。今日《こんにち》、このレベルでの議論は、毎月各種月刊誌や新聞においても多種多様に論じられているが、それはほぼ、限界までできている。出尽くした感がある。

たとえば今回のコロナ禍でいえば、「命」と「経済」のいずれが大事かという議論が延々と繰り返された。経済が失速し、われわれの日常生活もストップし、飲食業や観光業は大打撃を受けた。「経済」と「命」のバランスは正解のない暗中模索を続けるほかない。割り切れた答えはない。

コロナは、いま変異株の脅威が確認されてはいるが、しかしいずれ終息に向かい、経済は活性化されるだろうし、景気は回復する。金融市場にはすでに巨額のマネーが流れ込んでいる。そして結局はグローバリズムのもとでイノベーション競争が再開され、米中を中心にロシアやアジアを巻き込んだテクノヘゲモニー競争の世界になることは容易に想像できる。

では、そうしたパンデミック後のグローバル世界が、われわれが待望する未来であるかといえば、決してそうではない。それは明確に問題を孕《はら》んでいる。米中対立は容易には解消しないし、中国は東アジアへの進出を窺《うかが》い、アフリカや中近東への影響力を強めている。ＥＵは依然として不安定な状況にある。全世界的には所得格差の問題があり、先進国の経済成長率もいずれ下がる。これらは充分に予想がつくことなのだが、だからといって解決の方途は見えず、確かな対処の仕様がない問題であろう。

どうして解決の方向が見出しえないのか。それは、われわれが、ある価値観を当然のものとみなし、あくまでその枠組みで問題を解決しようとするからである。それは、大きく論じれば、「グローバリズム」と「テクノイノベーション」そして「経済成長主義」という三つの価値に集約できるだろう。この三つの価値が今日の解決不可能な問題の源泉にあり、われわれがこの三本の価値に囚われているかぎり、問題は次から次へと噴出するであろうし、この枠組みにおいては、問題は解決できない。

たとえば、今後の世界は新自由主義と社会民主主義あるいは福祉主義の間を、またグローバリズムと自国中心主義の間を、市場競争と政府による戦略的な経済政策の間を、その都度その都度の状況に合わせて振れるだろう。アメリカがその典型例で、グローバリズムが所得格差等の問題を生み出せばトランプ大統領が登場する。トランプの一国主義が行き過ぎれば、その反動でグローバリズムや協調主義を重んじるバイデンが大統領に就く。だが彼がもし失敗すれば第二のトランプもしくは本人が出てくるであろう。

また現在、知識人の間でマルクスの見直しが行われているが、われわれはマルクスから多くのヒントは得るとしても、マルクスを持ちだしてもどうにもならないであろう。マルクスの経済学も歴史法則も明らかに失敗している。

また脱炭素等のグリーン政策によって環境を成長に結びつけようとしているが、二兎《にと》を得ることは困難であり、それがかえって国家間の対立の激化をもたらすことも十分にありうる。いやすでに、脱炭素化そのものがグローバルな国家間競争の戦略になっているのである。

確かに、今日、グローバリズムや市場競争主義のもたらす問題は噴出しており、その反動で、社会民主主義やマルクス主義、環境主義、さらには一国中心主義への傾斜がみられるものの、こうしたことを重ねても、問題が解決されるはずがないのだ。われわれが当然としてきた「グローバリズム」「テクノイノベーション」「経済成長主義」の価値を前提として、その枠組みで思考を続ける限り、問題を先延ばしし、どのように妥協を図るかということにしかならない。

では日本はどうすればよいのか。むろん、日本もそんな世界と無縁ではいられない。したがって具体的な状況論としていえば、中国の台頭に対抗して、日米関係の強化を図れ、ということになる。デジタル化や環境イノベーションで後れを取ってはならない、といわれる。

確かにそういうほかあるまい。またこれまでもそういわれてきた。世界の潮流に後れをとってはならない、グローバル競争に負けるわけにはいかない。イノベーションこそが覇権の柱である等々。

しかし、これらの課題は、別に「ポストコロナ」というわけではない。その意味では従来と何ら変わりはない。ただ日本では、幸か不幸かトランプのような突拍子もない指導者は出てこないし、ヨーロッパのように極右の台頭もない。何かあれば、首相の強力なリーダーシップを世論は要求するが、実際には、真に強力な指導者の出現を待望してもいないのだ。多少の皮肉を込めていえば、危機だ危機だといっているわりには、本当の危機感はないのが日本の現実であろうし、またいまここで選択肢がそれほどあるとは思えない。台湾問題や尖閣《せんかく》問題など、困難な状況にあるが、それもまたいまに始まったことではなく、しかも、政府もマスメディアも、軍事的安全保障についての本格的な議論を起こそうともしない。多事争論というか、多事騒鳴ではあるものの、言葉は空を舞い、風見鳥のように、「世界の潮流」という風の流れに乗ることがもっぱらの関心となっている。

「現代」は、「近代」が暴発しだした時代

以上が、われわれの表層意識で生じていることである。具体的な問題の検討はもちろん重要だが、しかしいまここでの決定的な解決はない。表層での動きは時々刻々変化するから、その都度その都度の政策論は必要であるが、少し突き放してみれば、確かなブレイクスルーはどこにもみられない。

その根本的な原因は、「グローバリズム」「テクノイノベーション」「経済成長主義」といった表層意識を形作っている「現代」社会の価値観が前提となっているからである。それがもはや限界にきているのである。とすれば、目をむけるべきは、何がこの表層の価値を生み出したのか、ではないだろうか。表層の価値観の背後には、それを生み出した意識がある。それが中層意識であって、別のいい方をすれば、「近代」とは何だったのか、と問うことである。なぜなら「近代」の延長上に現代社会の矛盾が生み出されているからだ。

「現代」を少し長めで、二十世紀初頭以来とみてもよいし、戦後社会と理解してもよいし、もっと短く冷戦以降とみてもかまわない。いずれにせよ、グローバル化、産業技術の無限の

進歩、それに経済成長による富と自由の拡大に対する無条件の信奉、それらが世界を動かすのが「現代」という時代であり、その「現代」は「近代」によって生み出された。と同時に、「現代」は「近代」の手を離れてしまった。いわば「近代」が堰《せき》をきって暴発しだした時代である。

裏を返せば、「近代」をめぐる中層意識がわれわれの中でそれなりに処を占め、うまく作用していれば、自ずと表層意識も抑制されるわけで、現在はその反対に中層意識が乱れているからこそ表層意識が暴走しているというべきであろう。

先ほど、表層意識の根本的問題として「グローバリズム」と「テクノイノベーション」、「経済成長主義」の三つを挙げた。これらは、自由や富や人間の活動領域や情報知識など、ありとあらゆるものを、合理的な計算を伴いながらひたすら拡大する運動という点で共通している。人間の活動の合理的な拡張が文明の進歩と同義とされた。そしてこの進歩主義を生んだのは西洋近代社会であり、それがわれわれの中層意識をかたちづくっている。

無限の発見

西洋近代とは何であろうか。もちろん、それ自体が大テーマではあるが、少し俯瞰《ふかん》してみれば、次の歴史的な事態を無視することはできないだろう。

歴史的な順序でいえば、一つは「地理上の発見」がある。十五世紀後半以後、未知なるものの探求を目指して西へ西へと旅立った西洋人は、西へ進み続ければやがて東から元へと戻って来る、すなわち地球を一周できるという奇妙な発想に行き着いた。この妄想的思考は実は中世的な価値観からの大きな変換であった。住み慣れた大地を離れて未知の世界をめざした西洋人は、未知なるものへ途方もない知識欲と冒険心が新たな富を生み出すことを発見するとともに、富を生む場所としての一種の地球的発想つまり「グローバリズム」という概念に出合ったわけである。以降、このグローバリズムのもとで、富を巡る国家間競争が勃発し、富の争奪戦としての重商主義が生み出されたのである。

二つ目がガリレオの登場である。彼は近代を考えるうえで決定的な人物で、大きく三つの功績があった。まずは、ピサの斜塔からの物体の落下実験からもわかるように、自然界には抽象的な運動法則が隠されているという発見である。言い換えれば、自然を力学的な運動法則によって理解しようとしたわけだ。自然というものの捉え方が大きく変わったということである。第二に、望遠鏡を用いた天体観測によって地動説を唱えた。ここでポイントになるのが、地動説をガリレオは彼の頭のなかで考え付いたのではなく、望遠鏡という当時最先端の技術の結晶としての道具を利用し、観測データを収集し、このデータをもとに地球の運動を論証した点にある。そして第三に、地動説によって、地球というものを相対化して捉えることを可能とした。つまり、経験的なここにいる人間ではなく、経験の外部に、抽象的ないわば宇宙的な視点から地球という現実を見るという視点の転換を可能としたのである。

これは、自然や世界を、われわれの五感や体験で捉えるのではなく、自らを一度、自然や世界や地球という具体的な場所から切り離して、超越的で抽象的な「主体」を設定したということだ。「主体」を地球上ではなく、その外に仮構し、その「外部」の視点から世界を見ている。そうでなければ、地球を一つの球体として認識することは無理であり、その視点の変換を可能としたのが、望遠鏡という「新しいテクノロジー」であった。こうして、近代的な世界認識は、テクノロジーと結びついた物理主義的なものとなる。

ガリレオは「自然は数学の言葉で書かれている」といったが、ここに、人間が操作できる対象として自然を理解するという新たな道が開かされたといってよい。なぜなら、自然を数学の形式で法則的なものとして理解すれば、その法則を利用することで人間が自然を操作するという道が開かれるからである。

このような考え方を世界認識の基礎にしたのがデカルトで、彼はまさしくこの世の確実な知識はすべてを数学に還元できるとみなしたのである。すると、自然にせよ、世界にせよ、人間は、その外部にたって、それらを「対象」として合理的に認識できる。こうして、デカルトは、人間の五感や感情などという感覚的なものはすべて排除し、数学を典型とする合理的な認識だけを確実なものとして措定《そてい》した。そしてその上に、人間は、自然にせよ、世界にせよ、主体として対象を認識し、さらには合理的精神でもって対象を操作し作り変えることができるという思想が出現する。

物質的・合理的世界観に戻れば、ガリレオのあとに登場するのがニュートンで、万有引力の法則の発見はあまりにも有名だが、彼の最大の功績は、空間と時間という概念をつかみだした点にある。それ以降、均質な物理的な時間・空間のなかで、位置を指定できるようになる。そして、運動や変化は時間と空間における位置の関係として表現できる。こういう世界の物理主義的な把握が可能となった。

ここで重要なことは、「均質な空間」において、ある運動が物理的には時間とともにどこまでも拡張できるという発想が出てきたことだ。空間・時間は無限なのである。運動は空間・時間を無限に拡張できる。かくして人間の活動に関しても「無限」という概念が適用され、そこに富や自由の果てしのない拡張の論理が生み出される。経済成長は、時間と生産量の二次元座標空間において無限へ向かう直線や曲線として表示されることになる。

かくて、デカルト型の合理的な「主体」と対象（客体）という二元的な世界把握や、ニュートン型の空間と時間を前提とした無限の運動という概念が、現在のグローバリズムとテクノイノベーション、経済成長主義、さらには情報・デジタル化・データ化のように、あらゆるものを数値化・計量化し、その活動の成果を拡張するという思考のベースにあることは明白であろう。

だが、もともと、地理上の発見のように、グローバリズムといっても、それは「無限」ではなく、マゼランの隊員が球体を一周したように「循環」であり、今日のグローバル経済における直線的な無限の成長主義と一線を画すはずだった。だから、西洋、東洋、そして新世界の間の文明間の落差に基づいた文物の交流が経済発展を促したのが地理上の発見であって、そこに無限の成長という観念はない。

また、デカルトは合理的な精神の働きしか信じないといいつつも、その背後に神の存在を前提としており、もともとこの自然界も神の創造物だという認識があった。ついでにいえば、デカルトを引き継いだまぎれもなき近代の理性主義者であるカントも、人間の理性の限界を強く訴えた。理性の限界を画することは彼の哲学の中心テーマであった。

だが、二十世紀に入ると、神の存在も理性の限界もいつしか人間の視界から消え失せた。無限に関わるのは神のみであり、人間の理性も活動も限界をもつという了解は消えていった。地球という空間の有限性や人間の能力の限界という観念は後景に退き、その時、われわれは「現代」という時代の入り口に立つことになる。「近代」の導き手であった神からすれば有限であるこの世界が、神なき無限の世界へと変転したのが「現代」だともいえるだろう。

「西洋近代」をかたちづくっているもの

ここまでみてきたのが、冒頭述べた西洋近代の「表層意識」と「中層意識」である。もちろん、西洋文化には、ある種の神秘主義や自然主義、神学的伝統や反合理主義などの「反近代主義」も底流を流れている。しかしいまそこまで議論を複雑にする必要はない。また、日本の「近代」についても論じるべきことは多い。西洋近代の意識的な導入が明治以降の日本の近代を造形していることは間違いないが、それでも日本の近代は、単なる西洋の模倣とはいいがたい独自の展開をみせてもいる。こうしたことは気にかかる論点ではあるものの、ここで俎上《そじょう》にあげるものではない。ただ、西洋が生み出した「近代」の大規模な歴史的展開の上に「現代」があることを確認しておきたい。ということは、冒頭に述べた「現代」のいわば出口の見えない袋小路は、もとはといえば西洋の「近代」の思考にその原因を求めるべきだ、ということになろう。

だが、私は、ここでさらにそのもうひとつ先にまで行きたい。西洋の「近代」をも支えているさらに根底にあるものを探ってみたい。つまり、西洋文明の「深層意識」についても考えてみたい。

まず注目したいのが、古代ギリシャの自然観である。「コスモス」あるいは「ピュシス」といわれるもので、もともとイオニア（エーゲ海沿岸）の哲学者は、天地を含む一切万物の始源を探究し、それをタレスのように水に求め、また後には火風水土の四要素の結合とその変化で説明した。だから、万物は、常に生成・変化を繰り返すのであり、しかもそこには一定の秩序が保たれているという。そして、万物は変化するのだから、この「変化」こそが本質だとするのが、ヘラクレイトスの有名な「万物は流転《るてん》する」という言葉であった。

こうして、秩序は決して固定されたものではなく、常に生成・変化しつつ、しかも秩序を保つということになろう。すると、四元素の変形として万物一体という思想も生み出されることにもなる。これがもともとギリシャ人の考える「自然（ピュシス）」であった。これは、後述する日本人の思想にも、深く通じるものがあるのではなかろうか。

ところが、これに相反する概念を生み出したのがプラトンであった。生成変化や流転という概念に疑問を持ったプラトンは、超経験的あるいは超感覚的で永遠の「イデア」を想定し、目に映る具体的な事物は、仮に人がつくったにせよ、すべてはイデアの写しであり、その内にイデアを含み、イデアによって可能となるとみた。たとえば、私がいま座っている椅《い》子《す》にしても、それが椅子である限り、あくまで椅子のイデアに従って人間がつくったのだと考える。ここで大事なことは、常に生成・変化する現実世界はいわば現象世界であって、真の実在はそれを超越したイデアにこそあるという思想が出現したことであった。人間は、この現実世界に、イデアという「本質」に従って働きかけ、世界をつくりだすのである。

この場合、「つくる」という概念に着目しておく必要がある。プラトン以後の古代ギリシャでは、世界のすべてはイデアに従ってつくられることになる。職人や芸術家はイデアに従って作品を「つくる」のであり、政治家や市民は「国家（ポリス）」を「つくる」のであり、だからこそイデアに基づいた理想国家が論じられたのだ。

これをやや別のかたちで、プラトン説とそれ以前の自然哲学を統合するかのように表現したのがアリストテレスであった。彼は椅子であれば、木のなかには最初から椅子になる要素（イデア）が埋め込まれており、人間は、木という材料に働きかけ、そのなかから椅子という形を引き出す。言い換えれば、木材のなかから「椅子」という形が生成してくる。これが職人が椅子をつくるということだとされたのである。

ここに「自然」概念の大きな転換が生じる。木材のような自然に属する存在は、その内にイデア（エイドス）を宿す、もしくはイデアを表現する物的な素材であり、単なる材質だという理解が出てくる。「自然（ピュシス）」は、単なる物質的素材と等値されることとなる。木は、それに対して人が働きかけて椅子をつくる素材となる。

こうして「自然（ピュシス）」は、人がそれに働きかけて、何ものかをつくりだす物的対象となる。ここまでくれば、イオニア派の哲学者たちの考えたコスモスやピュシスから始まった本来の自然観が随分と変化したことは明白であろう。

さらにいうと、ギリシャのピュシスはラテン語でナトゥーラであるが、これはネイチャーの語源である。ところでネイチャーには「本質」という意味が含まれる。つまり、自然のなかには不可視の本質が隠されているという含意がある。もともとそれは、水や四元素の作用する秩序であり、またプラトンのイデアであったが、現代ではこれは物理法則として理解されることとなった。われわれは、この物理法則によって自然の作用を解き明かそうとするのだ。

今日の物理学は、自然の内に素粒子を見つけ出し、人間が手を加えることで、核エネルギーをつくりだした。もはやプラトンの述べた「イデア」などまったく不必要である。となれば、イデアなどに拘泥することもなく、自然を利用して、人間は自らに都合のよいものを、自らの意志によってつくりだすことができるだろう。こうした発想の上に先に述べたデカルトの合理主義もでてこよう。だがその源泉を辿っていくと、プラトンからアリストテレスへと行き着くであろう。

日本の「生々流転」という概念

問題なのは、以上で述べてきた西洋近代の考え方が、いまや明白に行き詰まっている点にある。ハンナ・アーレントは、ある場所に座ってこの宇宙や世界の姿を頭のなかで思い描き、直観するという営み、ギリシャ語でいうところの「テオリア（観照）」は現代では見失われ、技術によってものをつくり、実験によってデータを集め、それを知識にするという「活動（アクション）」だけが無条件に拡大されるようになったと述べた。近代の実証科学は、もはや宇宙の根源的な真理の観照などには関心をもたず、ひたすら実験技術を開発し、データを蓄積することに専念する。

アーレントの慨嘆《がいたん》のとおり、いつしか情報や知識を獲得すればするほど、人類はより大きな幸福を享受できるという根拠のない思い込みが独り歩きしはじめた。その先に何が待ち受けているか、誰にもわからないし、考える者すらいない。「グローバリズム」や「テクノイノベーション」、「経済成長主義」は、その意味では、古代ギリシャにおいて、「つくる」働きがイデアから完全に自立した時に始まったといってもよいが、それは限界まできている。

さて西洋近代が行き詰まっているのであれば、違う発想をさぐるべきであろう。私自身は、日本人の深層意識に目を向けたい。われわれの深層意識は、西洋文化の根底にあるそれとはまったく異なる。そこに何がしかの可能性を見出すことができるか否かは定かではないとしても、われわれが、あくまで「日本」という立ち位置からこの現代世界を見る時に、それはある意味では、ポストコロナの時代の日本の命題ともかかわるであろう。

西洋の深層意識の根本は、主体が対象に働きかけて何かをつくる（操作する）という思想にあった。一方、日本では、そもそも「つくる」という発想が弱い。丸山真男が世界の神話を「つくる型」「うむ型」「なる型」の三つに分類し、日本の場合は「なる型」だと語ったが、私の見方では「うむ型」に対して「うまれる型」があるように思う。「うむ」にせよ「つくる」にせよ、あくまで主体的行為であり、「うむ」主体が「うまれる」対象を操作する。

しかし、日本語の語感では、「うまれる」においては、うむ主体は特定されない。「うまれでる」といってもよかろう。その意味で、日本では「うまれる型」がもっとも近いように思う。ここに確かな「始源」は存在しないのである。この場合、「なる型」でも「うまれる型」でも重要なのは、主体が存在しない点だ。

『古事記』の神代では、混沌のなかから神や島、国がうまれる。世界はつくられるのではない。何ごとも自然発生的に「うまれる」。それがもうすこし形をとって「なる」へと変わってゆく。『古事記』では、国津神《くにつかみ》と天津神《あまつかみ》があり、天照大神の孫の瓊瓊杵尊《ににぎのみこと》の降臨によって世界（日本）を統一して統治することで、神と人は一体になる。神と人はつながっており、そこには神と人との契約思想はまったくない。すべては自然に生成されるとする考え方が強い。かくて、「自然」と「人為」を対立させるのではなく、「人為」もまた「自然」のなかで働く、という発想が日本の自然観を特徴づけることとなる。

「つくる」発想が弱ければ、何ごとも空間的に拡張したり進歩したりし続ける、という発想がうまれにくいだろう。日本人の考える自然や世界はつねに生々流転し、変化し続けるものであった。丸山はそれを「つぎつぎになりゆくいきおい」として論じたが、この「いきおい」の背景には、自然のなかにある霊力や生命力、神（カミ）があった。霊力（生命力）が万物に宿るという意識の上に「万物一体」の観念や、万物は生成し変化し続けるという「生々流転」のような思想もうみだされたのである。それがまた、常なるものはない、という「無常」の観念をもたらしたのだった。

わが国は飛鳥時代に至るまで、国土のほとんどが山林にすっかり覆われていたようで、そのなかで自然を脅威に感じたのは当然であった。その場合、自然の脅威に対して、西洋的なアプローチならば「自然の内に作用しているものは何か」、また「自然の猛威を克服するにはどうするか」と考えるであろう。人間にとって都合のよいように、自然を「つくる」わけだ。だが、日本の場合は違っていた。自然の内に、人知・人力を超えた霊力を観取し、時にはそれを「カミ」と称して、その神聖に対して儀礼的な祈りや霊的な儀式を捧げる習俗を生み出した。自然の内にある霊妙な力（エネルギー）に対して畏怖の念をもち、その力に随順《ずいじゅん》したろうとしたところに日本思想の特徴がある。これは自然観の相違であり、西洋思想と日本思想の大きな分かれ目がここにある。

コロナ禍により問い直された価値観

このような自然観や霊的意識を、今日、われわれは日常のなかで意識することはめったにない。ましてや、経済政策に関わる表層意識に上ることはない。ではこの種の日本型の自然観がまったく失われたのかというと、そうとも思えないのだ。少し自己の内面を振りかえってみれば、現在の日本人にも、このような深層意識はまだまだ残っているのではなかろうか。いや、漠然たるものではあれ、結構、重要な深層意識をかたちづくっているのではないだろうか。

にもかかわらず、表層意識と中層意識に関しては西洋近代のそれにすっかり染まってしまった。そのことが悪いわけではない。明治以降の日本の近代化が西洋近代の性急なまでの導入であったという事実にもそれなりに理由はあり、さもなければ、日本は十九世紀の西洋中心のグローバルな世界にあって独立を保つことは困難であっただろうからである。戦後もそうである。対米追従といいたくなるほどの親米政策をとる以外に戦後復興の道はなかった。それだけ西洋の切り開いた「近代の原理」は強力であり、世界を席巻していった。

しかし、そんな折に起きたのが、この度のパンデミックである。今回のコロナ禍で特筆すべきは、表層意識の限界を白日の下に晒《さら》したとともに、深層にある価値観までも問い直すきっかけを、われわれに与えた点にあったのではなかろうか。

それはこういうことである。

もとをただせば、コロナウイルスは人類よりもはるか太古から地球上に存在していた。ウイルスの誕生は謎だが、今回のパンデミックは人間という生命体を根本的な生物レベルにまで引き下ろしてしまったように感じられる。

人はウイルスや多種多様な細菌とも共存しながら、それらとどこかでつながりあっている。人も他の生物も自然も一種の平衡・循環系をつくることで、人は生物体として生存してきた。人間の生命現象を遺伝子レベルまで分解し科学的分析の対象とすることによって、ウイルスのRNA、DNAと人のそれとの関係が明らかにされ、また現実にその成果によってコロナに対するワクチン開発も可能となったのである。

確かに、人間の生物的側面、あるいは生命的側面は、いわば人間の「自然」に属する。人間は、それを生物体としてみれば、他の動物と同様に、自然のなかにあって、自然とともに生きている。生命は自然によってはぐくまれている。「生命」や「生命力」は人間が意のままに管理できるというよりは、本来、人間の力を離れた「自然」の贈与であり、その作用というべきである。

ところが、先にも述べたように、西洋近代の自然科学は、人間も含めて、その「自然性」を実証的・実験的手法で分析した。人間の根本にある「自然性」を、遺伝子やDNAという物的概念に置き換えることで、自然的存在としての人間を科学的分析の対象とした。そして、その結果がワクチン開発であったということになる。

だから、われわれはつい人間の理性や科学的探究心をもって、人間を特別な存在だと思いたくなる。もっぱら理性を頼りたくなる。確かに人間は生物的で生命的な存在なのだが、人間はそれに留まらず、それを超え出ている。「自然」のなかで生きるのではなく、自らの

「自然性」を超え出ている。だから、そこに他の動物と区別される人間の人間たるゆえんがある、ということにもなろう。

だがまたこの場合、仮に人間を特別視するとしても、自然環境が破壊されたら、人類は明日を生きることもできないことも明白である。ウイルスは、宿主である人間を殺すほどの強毒性を備えてしまえば自分たちが滅びる。人間にも同じことがいえるであろう。己の利益と過信のために、人間が、自然破壊を、完全な自然支配と思い違いをすれば、いずれわが身を滅ぼすほかなかろう。

とすれば、成長主義・拡張主義の愚かさがよくわかるはずだ。自然環境が無秩序に破壊されれば人間も滅びるというのは簡単な理屈というほかない。

文明の発展による弊害

昨今は持続可能性という言葉が流行り、SDGsなど企業イメージの宣伝にも利用されている感もある。確かにそれを真剣に考えなければいけない局面には差し掛かっているのであろう。だがそれを「表層意識」において、自然に対する人間の合理的管理や環境と成長の両立などという形で問題を設定してもうまくはいかないだろう。自然は人間が管理できる対象ではない。また、人間は自ら、人間の活動に限界を画し、人間を管理できるものでもない。だから、「表層意識」における政策論や合言葉ではなく、「中層意識」としての西洋近代主義や、それを生みだした西洋文化の「深層意識」まで問われなければならないだろう。

もちろん、だからといって人間はウイルスのような単細胞生物と同等な存在だなどといっているわけではない。現実には、ウイルスにせよ自然の脅威にせよ、それを人間に対する敵と捉え直して、克服しようとするのは当然であり、その姿勢と試みが文明をつくりあげてきた。文明の最大の敵は人間の生命に対する脅威であり、飢餓と感染症、自然災害、そして戦争の四つがその代表であった。だから人は農耕革命によって食料を確保し、産業革命を起こして富を拡張し、科学革命によって医学や科学を発展させ、市民革命によって法や市民社会をつくりだした。それをもっとも徹底して追求したのが西洋文明であり、だからこそ彼らは脅威をもたらす自然を人間から切り離し、これを管理しようとした。「つくる」という西洋の深層意識がそれを支えたことはいうまでもない。

とはいえ、次の新型ウイルスは今後も現れるだろうし、自然災害を止めることはできない。戦争がなくなるわけではないし、経済成長は逆に富の不平等を生みだした。文明の発展は、おそらくは近代社会のある時期まではそれなりにうまくいっていたものの、二十一世紀に入ると、むしろマイナス面が一気に表面化しつつある。文明が発展するほど地震の被害は大きくなるし、グローバリズムによって感染症の拡大は著しい。戦争もひとたび起これば、かつてなく悲惨な結果をもたらす。人間の生命の脅威に対抗して自然を管理するという文明の発展は、どうやら、その所期の目的をはるかに越してそれ自体の過剰なまでの追求から抜け出せない。

「自然」「意気」「諦念」

一方で日本人の文明観はもともと西洋型とは大きく異なっていた。自然を管理し利用するというよりも、われわれの生活のリズムを自然に合わせようとする。大地の上に石を築き永遠の建造物をそびえさせようという「石の文明」の西洋とは異なり、日本の「木の文明」は、大地から養分を得てそれ自体が自然性をもつ木とともに生活を組み立てる。しかもそれは時間とともに朽《く》ちてゆき、また大地に戻るのだ。

自然と人間を通じた循環と平衡という発想がここにはある。それは、時間を通じた循環でもあった。永遠のものはない。すべては、いずこから生まれでて、何ものかになり（生育し）、衰弱し、朽ちてゆき、もとの場所に戻る。この時間のもつ無常のプロセス、それが、生命的なもののあり方だという意識が日本思想にはある。この、存在の「循環と平衡」という発想は、自然を制圧して、存在の「成長と拡張」をつくりだす、という西洋的な発想とはまったく異なるものであった。

また、日本人は、本来、生物体としての生命力や心身の健康に対してとても関心が高かった。中国由来の「気」の概念を取り入れ、禅に代表されるように「修行」や日常の「修養」に価値を見出し、またインド由来の瞑想を積極的にとりいれもした。これはいずれも、自我すなわち主体性を自ら放棄することで自然と一体化する方向をめざしている。自我への執着を自ら取り外すことで、自然のリズムに心身の調子を合わせるという養生が、真の安楽や健康につながると考えたからだ。人の幸福とは富や自由の拡張ではなく、心身の安寧であり、自然や社会との同調にある、という。ここに日本人の重要な根源的価値があり、智慧《ちえ》があった。

かつて、哲学者の九鬼周造《くきしゅうぞう》は、日本文化の大きな特徴として次の三つをあげた。「自然」「意気」「諦念《ていねん》」である。これは、いまも多くの日本人が無意識に保持している価値観だと思う。九鬼は日本の自然とは「おのずから」であり、人の作為を超えた「おのずから」に従うという思想が日本にはある、という。

もちろん「おのずから」の流れに身を委《ゆだ》ねるといえば、ただただ他人任せ、主体性の欠落したなりゆきまかせの生であるように理解されもしよう。だから、丸山真男のような近代主義者は、日本の自然観念に含意されている「おのずから」のなりゆきまかせを「無責任体系」として批判し、意識的に主体性をもって「つくる」あるいは「する」という思想への転換を説いた。

確かに、日本的自然観は、へたをすれば、万事、なりゆき次第、ということにもなりうるだろう。だが、九鬼のいうのは、そんな気楽で生易しいことではない。苛酷《かこく》な自然災害に襲われたときに、それに対して立ち向かうのか、引き受けるのか、運命だと割り切るのか。九鬼はそのときに確固たる意志と覚悟が必要だという。自然と対峙するとき、我を捨ててそれと一体化することも、あるいは逆に己を捨てて徹底して立ち向かうことも必要になる。だがそれでもその根底にあるのは「自然には勝てない」という諦念であり、マキャベリが、ヴァーチュー（徳・力）をもって運命と闘えと説いた西洋近代とは大きく違う。マキャベリが、力をもって運命と闘い、自らの意図を実現するところに人間の「徳＝力」を見た時、新たな世界を自ら切り開く（「つくりだす」）西洋近代における「政治」の決定的な重要性が確立したわけである。

だが、日本の場合は異なっている。人知と人力を尽くしてもどうにもならないことはある。その時に、「自然」という大きな作用にすべてを委ねる、という発想がある。それを運命として諦めつつも、同時に運命として雄々《おお》しく戦わなければならないと凜《りん》として覚悟するのが日本的性格だ、というのだ。どうにもならないことを知りつつ、しかもある覚悟をもって雄々しく立ち向かわなければならないときはある。それが、「あきらめ」と「意気」であった。諦念と覚悟（意気）は一体なのである。

日本の深層意識に目を向けるべきとき

残念なのは、日本論や日本文化論が、いま生きているわれわれとどうつながっているのか、という観点で語られなくなって久しいということだ。日本では伝統的に、西洋思想の研究者が日本文化に関心をもつことは少なく、日本思想の研究者は、その領域に自己限定して専門家を自認している傾向が強かった。本来であれば、古代ギリシャや西洋文化と日本文化を比較文化的に研究する姿勢があっていいはずで、さらにそれを現代にまでつなげるという姿勢があってしかるべきであろう。もちろん、和辻哲郎を始め、例外的な存在はあるし、また近年は、このような垣根を取り外された研究もなされつつある。だが、それでも、日本論や日本思想論を、現代文明の課題に結びつけて論じるという試みは稀《まれ》である。

今日の文明が、その表面上の賑わいや奇妙な活気とはうらはらに、ほとんど解決不能な問題を生み出していることは疑いがないであろう。それに対して、われわれは二重の態度で臨むほかない。表層意識としては、その都度その都度の課題に対処し、グローバリズム・テクノイノベーション・経済成長主義に適応してゆくほかない。しかし同時に、その限界も知らなければならない。この現代文明の陥穽《かんせい》から脱するには、われわれ自身の価値観の大きな転換が不可欠なのである。そのためには、われわれは、まずは、われわれの深層意識に目を向けなければならないであろう。

「現代社会」や「現代文明」を論じる、ということは、ただ抽象的で一般的な理論分析でもデータ分析でもない。われわれは、あくまで「日本」を足場にして「現代社会」を論じなければならないし、それ以外のやり方はない。それは、われわれの実存の問題というべきであろう。

ポストコロナの時代の課題とは、日本の思想をまずはわれわれ自身が思い起こすところから始めるほかない。もちろん、それが自文化中心主義や他文化排除などとはまったく無関係であることはいうまでもない。表層意識のレベルで現代社会のもたらす問題に対処するには、西洋近代が編み出したリベラリズムや実証科学、データサイエンス、技術革新主義などが持ちだされることになる。それが無意味だとはまったく思わないが、またそれらが今日、限界に達していることも事実である。

確かに、日本と西洋の深層意識には大きな落差がある。また、いきなり日本人の深層意識を、現実の表層意識に結びつけることもできない。とすれば、日本人は、グローバル競争や成長主義に囚われた「現代文明」についての表層意識と、日本的な自然観や生命観を根底においた深層意識の二重性を往還しつつ生きるほかないであろう。「万物一体」や「生々流転」型、つまり「つくる」ではなく「うまれる」もしくは「なる」型の自然観こそが意味をもつ時代の入り口にいると信じたいと私は思う。いずれにせよ、西洋近代的思想にはもはや先がなく、できるとすれば時間稼ぎ以外にはないのだから。

【初出一覧】

第一章　月刊『Voice』2021年1月号掲載分・10月号掲載分に、未収録部分を加えて再構成
第二章　月刊『Voice』2020 年10月号掲載分に、2021年6 ～8月に行ったメール取材分を加えて再構成
第三章　月刊『Voice』2021年11月号掲載分に、未収録部分を加えて再構成
第四章　月刊『Voice』2021年10月号掲載分に加筆・修正を施して収録
第五章　語り下ろし
第六章　月刊『Voice』2021年9月号掲載分に加筆・修正を施して収録

PHP新書
PHP INTERFACE
https://www.php.co.jp/

月刊『Voice』[ボイス]

昭和52年12月に、21世紀のよりよい社会実現のための提言誌として創刊。政治、国際関係、経済、科学・技術、経営、教育など、激しく揺れ動く現代社会のさまざまな問題を幅広くとりあげ、つねに新鮮な視点と確かなビジョンを提起する月刊誌。

東アジアが変える未来

PHP新書 1280

二〇二一年十月二十八日 第一版第一刷

編者――Voice編集部
発行者――永田貴之
発行所――株式会社PHP研究所
東京本部――〒135-8137 江東区豊洲5-6-52
第一制作部 ☎03-3520-9615(編集)
普及部 ☎03-3520-9630(販売)
京都本部――〒601-8411 京都市南区西九条北ノ内町11
組版――アイムデザイン株式会社
装幀者――芦澤泰偉＋児崎雅淑
印刷所
製本所――図書印刷株式会社

ISBN978-4-569-85051-1

ＰＨＰ新書刊行にあたって

「繁栄を通じて平和と幸福を」（PEACE and HAPPINESS through PROSPERITY）の願いのもと、ＰＨＰ研究所が創設されて今年で五十周年を迎えます。その歩みは、日本人が先の戦争を乗り越え、並々ならぬ努力を続けて、今日の繁栄を築き上げてきた軌跡に重なります。

しかし、平和で豊かな生活を手にした現在、多くの日本人は、自分が何のために生きているのか、どのように生きていきたいのかを、見失いつつあるように思われます。そして、その間にも、日本国内や世界のみならず地球規模での大きな変化が日々生起し、解決すべき問題となって私たちのもとに押し寄せてきます。

このような時代に人生の確かな価値を見出し、生きる喜びに満ちあふれた社会を実現するために、いま何が求められているのでしょうか。それは、先達が培ってきた知恵を紡ぎ直すこと、その上で自分たち一人一人がおかれた現実と進むべき未来について丹念に考えていくこと以外にはありません。

その営みは、単なる知識に終わらない深い思索へ、そしてよく生きるための哲学への旅でもあります。弊所が創設五十周年を迎えましたのを機に、ＰＨＰ新書を創刊し、この新たな旅を読者と共に歩んでいきたいと思っています。多くの読者の共感と支援を心よりお願いいたします。

一九九六年十月

ＰＨＰ研究所

1106 御社の働き方改革、ここが間違ってます！　白河桃子
1125 『週刊文春』と『週刊新潮』闘うメディアの全内幕　花田紀凱／門田隆将
1128 男性という孤独な存在　橘木俊詔
1140 「情の力」で勝つ日本　日下公人
1144 未来を読む　ジャレド・ダイアモンドほか［著］／大野和基［インタビュー・編］
1146 「都市の正義」が地方を壊す　山下祐介
1149 世界の路地裏を歩いて見つけた「憧れのニッポン」　早坂 隆
1150 いじめを生む教室　荻上チキ
1151 オウム真理教事件とは何だったのか？　一橋文哉
1154 孤独の達人　諸富祥彦
1161 貧困を救えない国 日本　阿部彩／鈴木大介
1164 ユーチューバーが消滅する未来　岡田斗司夫
1183 本当に頭のいい子を育てる 世界標準の勉強法　茂木健一郎
1190 なぜ共働きも専業もしんどいのか　中野円佳
1201 未完の資本主義　ポール・クルーグマンほか［著］／大野和基［インタビュー・編］
1202 トイレは世界を救う　ジャック・シム［著］／近藤奈香［訳］
1219 本屋を守れ　藤原正彦
1223 教師崩壊　妹尾昌俊
1229 大分断　エマニュエル・トッド［著］／大野 舞［訳］
1231 未来を見る力　河合雅司
1233 男性の育休　小室淑恵／天野 妙
1234 AIの壁　養老孟司
1239 社会保障と財政の危機　鈴木 亘
1242 食料危機　井出留美
1247 日本の盲点　開沼 博
1249 働かないおじさんが御社をダメにする　白河桃子
1252 データ立国論　宮田裕章
1262 教師と学校の失敗学　妹尾昌俊
1263 同調圧力の正体　太田 肇
1264 子どもの発達格差　森口佑介
1271 自由の奪還　アンデシュ・ハンセン他［著］／大野和基［インタビュー・編］
1277 転形期の世界　Voice編集部［編］
1280 東アジアが変える未来　Voice編集部［編］
1281 5000日後の世界　ケヴィン・ケリー［著］／大野和基［インタビュー・編］／服部桂［訳］